彩りのてまり歳時記

尾崎敬子著

JN261186

■作り方　左 飛翔 48ページ　右 夫婦鶴 75ページ

飛　翔

嘴に松や梅の小枝をくわえながら
飛び交う鶴の姿は嬉しきことの始まりです。

■作り方　1 飛翔新松子 64ページ　　2 祝鶴 48ページ

舞い鶴

鶴のモチーフは折り鶴、夫婦鶴、千羽鶴、舞い降りる鶴など
無数のかがりが球体の中に乱舞して
優美な世界へと誘《いざな》います。

■作り方　1 折り鶴 64ページ　2 向かい鶴 64ページ　3 千羽鶴 87ページ　4 鶴 参考作品　5 鶴 48ページ

初春てまり

初春に願いを込めて
初日の出、松竹梅、熨斗柄など
新玉《あらたま》の年にふさわしいかがりです。

■作り方 1 亀甲松竹梅 56ページ　2､3 お正月 参考作品　4 初日の出 81ページ

■作り方 5 熨斗 6 梅鉢模様 参考作品 7 束ね熨斗 76ページ 8 亀甲菊 38ページ

お節句てまり

雛祭り、端午の節句のお飾りに
また初節句のプレゼントとしても喜ばれます。

1

■作り方 1 お雛様 68ページ 2 折り紙兜 参考作品 3 兜 38ページ 4 鯉のぼり 40ページ
5 金太郎 参考作品 6 矢羽根車 79ページ

天の川

■作り方 1 天の川 参考作品 2 星空 42ページ 3 夜空の星 75ページ 4 流れ星 78ページ
5 七夕 58ページ 6 南極の花 54ページ 7 重ね星 60ページ

重陽の節句

■作り方
1 重ね菊 86ページ
2 祝い菊 参考作品

十五夜

■作り方 1 舞いうさぎ 58ページ 2 うさぎのお餅つき 3 お月見 4 お月見団子 参考作品

お祝いてまり

結婚祝い/参考作品

子供の成長の無事や長寿を祈りながら
一針一針心を込めて作り上げた
愛おしいてまりです。

米寿/参考作品

傘寿/参考作品

■作り方 1 出産祝い 2 七五三 86ページ

聖　夜

世界中のクリスマスを
てまりのオーナメントやツリーで飾れたら…。

■作り方　1ツリー　2ポインセチア 参考作品　3クリスマス　82ページ

バラの園

楚々とした薄黄色の木香バラ、白い可憐な野バラ、
垣根を彩る愛らしいバラ、そして輝かしい大輪のバラなど
色とりどりに、幾重にも広がる花びらと馥《ふく》郁《いく》たる香りの競演です。

■作り方 1 木香ばら 60ページ 2 グリーンアイス 85ページ 3 垣根のバラ 42ページ 4 二面渦バラ 87ページ

■作り方 1 合歓の花 参考作品 2 ねじり桔梗 62ページ 3 レゼーデージーの花 参考作品

花かご

■作り方 4 椿と柊 85ページ 5 秋景色 42ページ 6 藤棚と菊 67ページ 7 ハルジオン 参考作品

小春日和

穏やかな日溜まりの一隅《ぐう》に
糸の織りなす四季の花を咲かせてみましょう。

■作り方　1 結草 58ページ　2 カトレア 参考作品　3 春のときめき 73ページ
4 きりん草 72ページ　5 ダリア 参考作品　6 ひまわり36ページ
7 東割り菊寄せ 62ページ　8 水辺の花 40ページ

5
7
6
8

蝶の舞い

ひらひらと華麗な蝶の舞い。
蝶のモチーフは沢山ありますが、
左右対称の美しい色彩が
かがりを楽しませてくれます。

■作り方 1 花と蝶 66ページ　2 蝶々 参考作品　3 蝶 54ページ

5

刺繍てまり

旅や観劇、季節の行事など
それぞれを丸いてまりに託して
刺繍で思い出作りを楽しみましょう。

■作り方 1 松本城と桜 2 双鶴 3 藤娘
4 京都の春 5 赤毛のアン 参考作品

花の銀河

球体にできた五角の中に小さな三角が無数にできると
まるで宇宙の中の銀河系のようです。

■作り方 1 花の銀河 87ページ 2 変わり麻 56ページ 3 変わり麻の葉 83ページ

つな遊び

■作り方

1 つな遊び 44ページ

2 まりとねずみ 参考作品

菱遊び

■作り方

1 格子菱 84ページ

2 ミルクと猫 参考作品

藍てまり

日本の伝統色である藍。藍色のてまりで落ち着きのある雰囲気を楽しんでみましょう。

■作り方　1 変わり三羽根 87ページ　2 交差とねじり 62ページ　3 冬日 80ページ　4 紡錘型切り子 44ページ

■作り方　5 日の出前 74ページ　6 花透かし 40ページ　7 透かし星 81ページ　8 クリスタル 44ページ
9 ねじり四角 86ページ

■作り方 1 おもだか、2 星のまたたき 46ページ　3 ねじり紡錘型、4 またたき星、5 交差三羽根 参考作品
6 剣六角 86ページ

彩りてまり

■作り方　7 積木重ね 79ページ　8 囲い 参考作品　9 枡重ね 76ページ　10 菱の実つなぎ 36ページ
11 紡錘型香箱 80ページ

惜秋

■作り方

1 惜秋 84ページ

2 交差遊び 87ページ

3 ねじり巴 78ページ

4 紡錘型松葉 74ページ

5 沈丁花 87ページ

■作り方
6 紡錘型ねじり 参考作品
7 紅白ぶりぶり 73ページ
8 星つなぎ
9 菱つなぎ
10 ねじり毘沙門 参考作品

■作り方 1 スノーフレークスター 50ページ　2 初雪 70ページ　3 花畑 参考作品　4 ブルースパイラル 52ページ

てまり遊びI

カラフルなてまりと落ち着いたてまり。てまりは様々な表情を見せてくれます。

■作り方 5 キルトブロック 69ページ 6 明快な色の調和 50ページ

■作り方 1 風の中の風車 54ページ 2 菊と扇、3 星いっぱいの模様 52ページ 4 ときめき 72ページ

てまり遊びⅡ

色々なてまりのモチーフを考え、作品にしてみましょう。

■作り方　5 金魚 参考作品　6 クリオネ 50ページ　7 太陽と月 71ページ

花てまり

てまり糸が織りなす美しい花模様は
まるで万華鏡の中を覗いているようです。

■作り方　1 万華鏡Ⅰ 46ページ　2 万華鏡Ⅱ 77ページ

幾何模様てまり

配色の仕方で、手まりの表情は幾重にも変わります。

■作り方 1 一番星 82ページ 2 晩秋の菊 56ページ 3 束ねのし 38ページ

菊づくし

菊模様はてまり作りの代表的な醍醐味のあるかがりです。
小輪に咲かせたり、大輪に咲かせたりして楽しむことができます。

■作り方 1 紀伊変わり芯菊 36ページ 2 麻の葉とぼかし菊 60ページ 3 元禄菊 83ページ 4 かがり火 77ページ 5 ぼかし菊 86ページ

はじめに

てまりの本も数を重ね、独創性に富んだ新しい作品はなかなかできないのではと心配しておりましたが、球体の上にいろいろな夢を描き、美しい作品が次々と生まれることは何よりの喜びであり、また楽しみです。
本書に掲載の作品を参考にしていただき、制作される方の個性を活かしたご自身の創作てまりを作っていただければ、幸いに思います。

尾崎敬子

てまり作りの準備

材料と用具

材料

てまりの芯　土台まりの芯は市販のスチロール球や、手で丸めた弾力性のあるものを使います。例えば、古綿、もみ殻、セロファンパッキング、新聞紙など身近にあるものを利用しましょう。これらのものを丸め、太めの木綿糸や極細毛糸を巻いて丸く形作ります。芯の中心に、プラスチックケースで中に鈴や小石など入れると、可愛い音が聞こえます。

1 ぜんまい綿　2 もみ殻　3 スチロール球　4 古綿　5 セロファンパッキング　6 灯心　7 新聞紙　8 果物用ネット　9 プラスチックのケース

芯を巻く糸　木綿糸や化繊の極細毛糸のつぎに手芸綿で均一に包みます。これは針の通りを良くし、丸味を補正する役目もありますが、省略してもよいでしょう。しつけ糸または、地巻き糸の順に巻きます。地巻き糸はまりの模様に合わせて、色を決めます。

地割り糸(柱糸)　主にラメ糸を使います。金や銀などのラメ糸は地巻き糸となじんで球面でずれにくく、どんなかがり糸とも調和します。地巻き糸と同色の糸を使う場合もあります。また、かがった後に、取りはずす場合もあります。

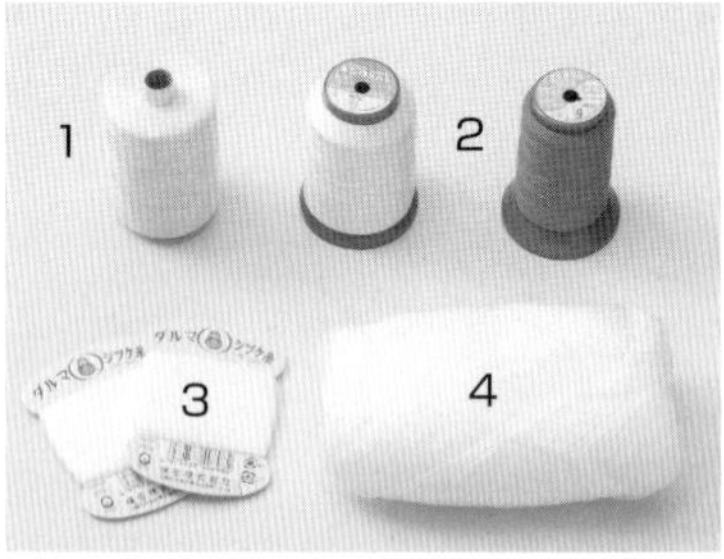

1 木綿糸　2 地巻き糸　3 しつけ糸　4 化繊の極細毛糸

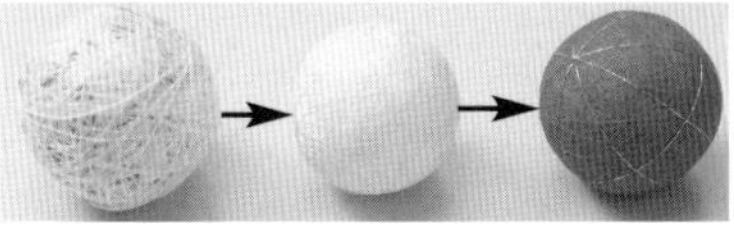

極細毛糸で巻く → しつけ糸や地巻き糸をしっかりと巻き、地割りをする

かがり糸

◆5番刺繍糸／てまりかがりに最適な、少し太めの刺繍糸です。使いやすい長さに切って、1〜2本どりにします。

◆25番刺繍糸／6本どりになっているので一定の長さに切り、必要に応じた太さにして使います。

◆京てまり糸／京てまり糸は絹糸の風合いを持つ化繊糸で1〜2本どりにして使います。

◆金・銀糸、金・銀ラメ糸／松葉かがりや、赤道の帯を止めるとき、かがりの縁どりなど、装飾的な使い方をすると効果的です。

◆その他／絹糸、リリアン糸、テープ糸、ウール糸など糸の特長を生かした個性的なてまりも楽しいものです。絹糸は日本刺繍用の撚りのかからないものと、てまり用の撚りのかかった少し太めの糸があり、まったく趣きの違ったてまりになります。

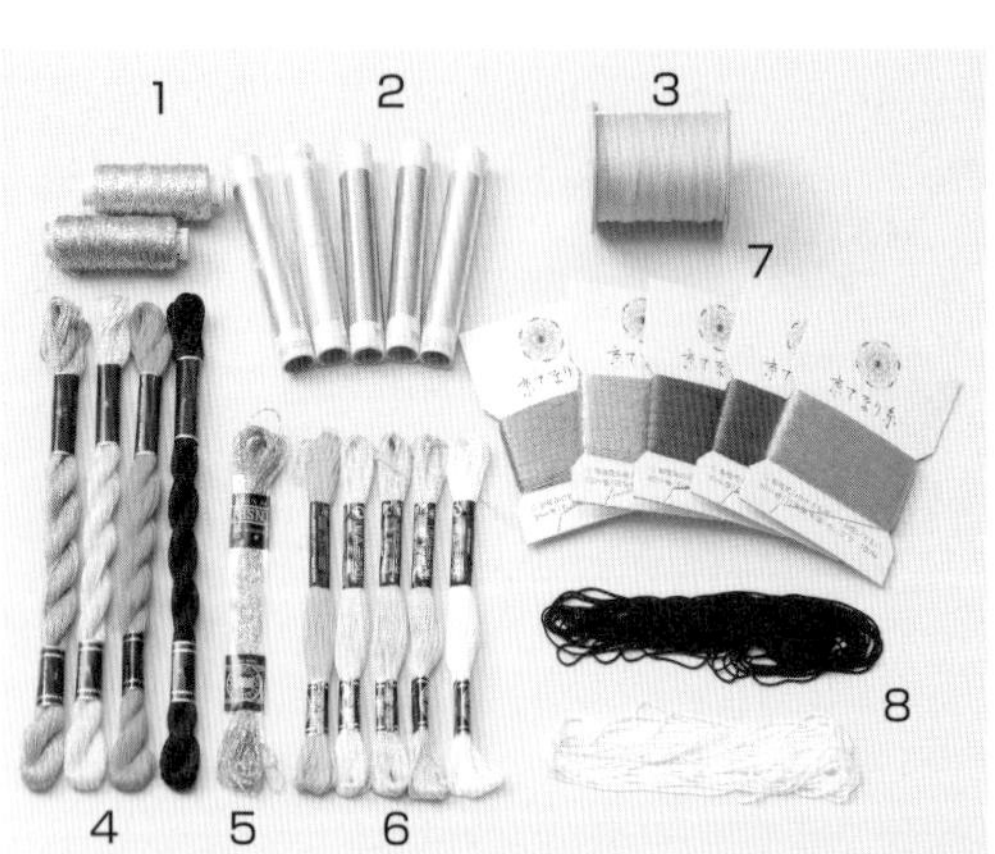

1 金糸・銀糸　2 日本刺繍用絹糸　3 テープ糸　4 5番刺繍糸　5 金ラメ糸　6 25番刺繍糸　7 京手まり糸　8 リリアン糸

用具

てまり針、ふとん針、待ち針、巻き尺、ハサミなどを用意します。待ち針は色つきのものを何種類か用意しておくと便利でしょう。

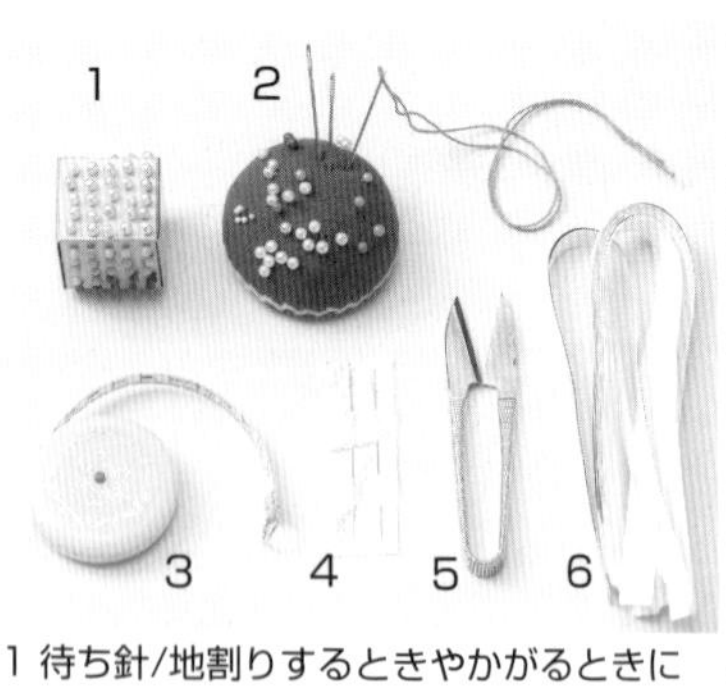

1 待ち針/地割りするときやかがるときに色分けして使う
2 針山　3 巻き尺
4 かがり針/刺繍針やふとん針など用途に応じて使う
5 糸切りバサミ
6 紙テープ/地割りをするときに使う

地割り

てまりの球面を三角形に分割して糸を掛け、これを基に模様をかがります。
　単純等分は地割りの基本になるもので、赤道を等分し、北極と南極をつなぎます。

単純等分

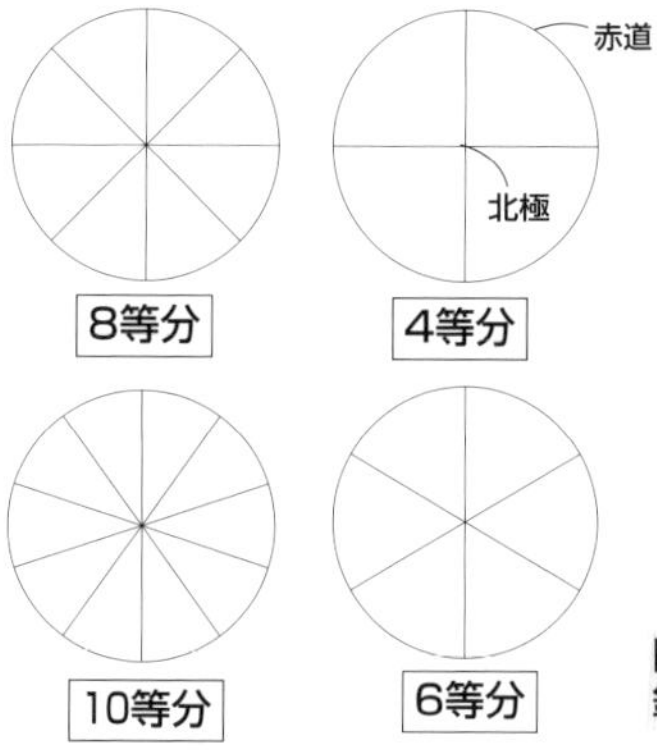

《4等分地割り》

円周+10cmの糸で赤道の待ち針4本を通り、1巻きします。

【北極の掛け方】

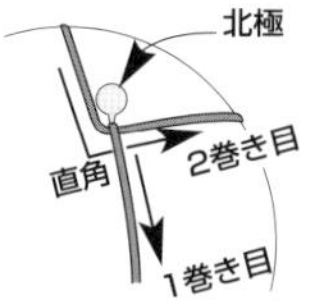

【赤道の掛け方】

組み合わせ等分による面の集合

《8等分の組み合わせ》

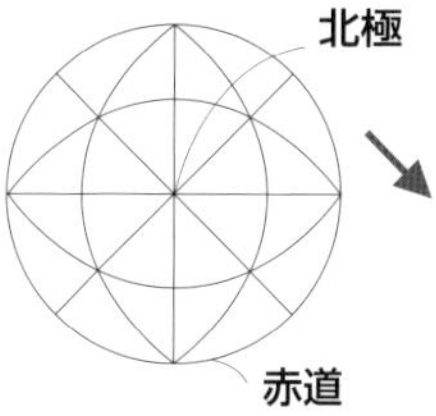

大きな三角

三角12個で構成された菱形が全体で4か所あります。

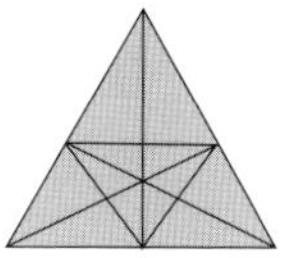

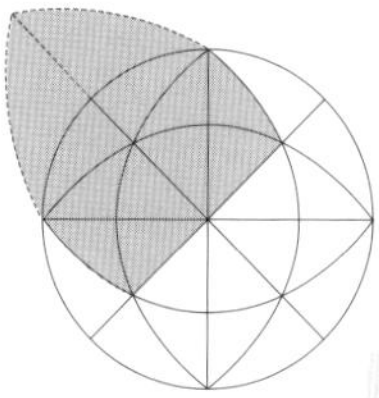

菱形4等分

三角4個で構成された菱形が全体で12か所あります。

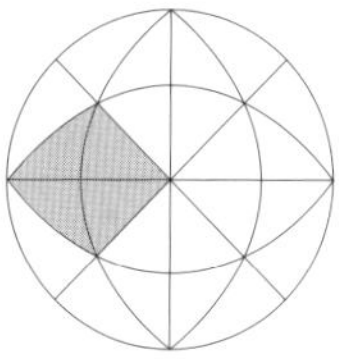

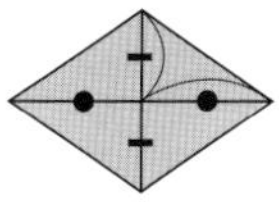

8等分の組み合わせは小さな三角48個からできています。

四角8等分

三角8個で構成された四角が全体で6か所あります。

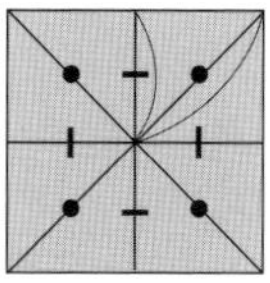

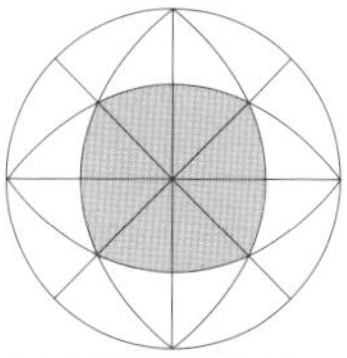

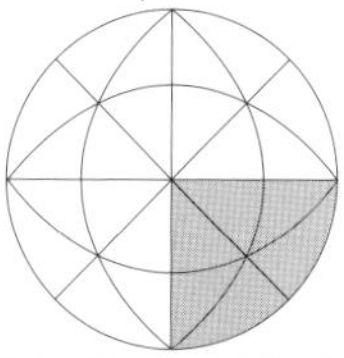

三角6等分

三角6個で構成された三角が全体で8か所あります。

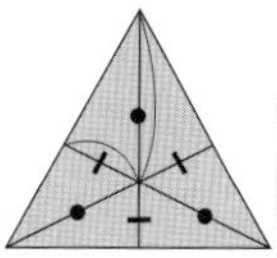

8等分の組み合わせは主に菱形4等分・三角6等分・四角8等分が基本となる形です。
それぞれに短い線と長い線があり、かがりの位置を表すときに使われます。

《10等分の組み合わせ》

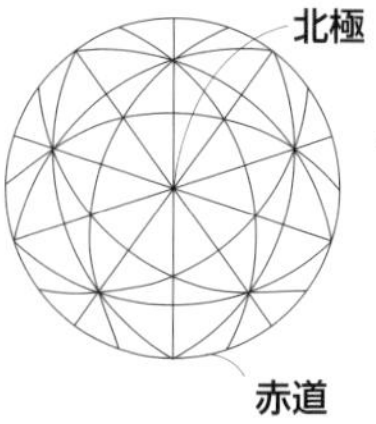

三角6等分

三角6個で構成された三角が全体で20か所あります。

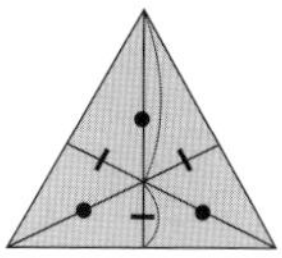

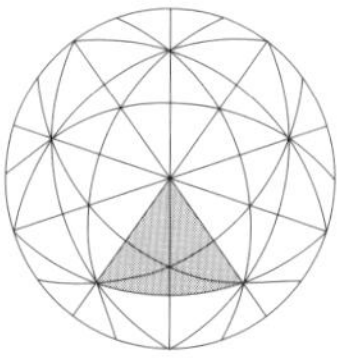

五角10等分

三角10個で構成された五角が全体で12か所あります。

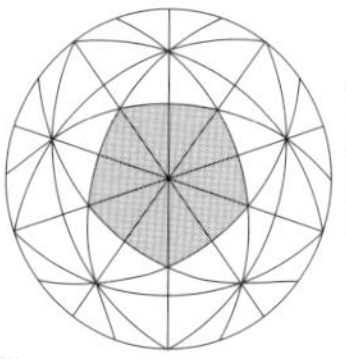

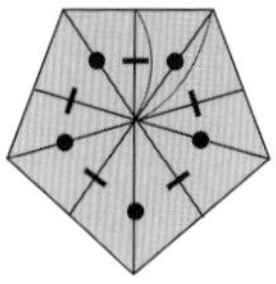

10等分の組み合わせは小さな三角120個からできています。

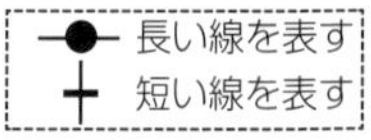

菱形4等分

三角4個で構成された菱形が全体で30か所あります。

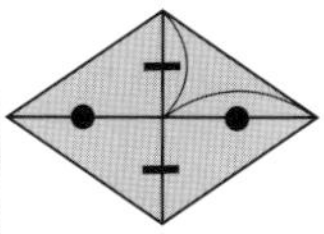

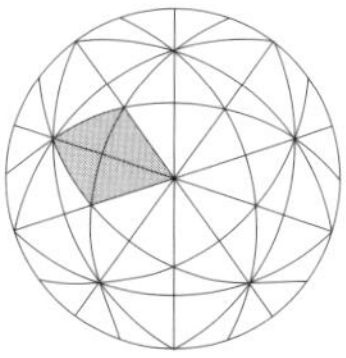

10等分の組み合わせは菱形4等分・三角6等分・五角10等分が基本となる形です。
それぞれに短い線と長い線があり、かがりの位置を表すときに使われます。

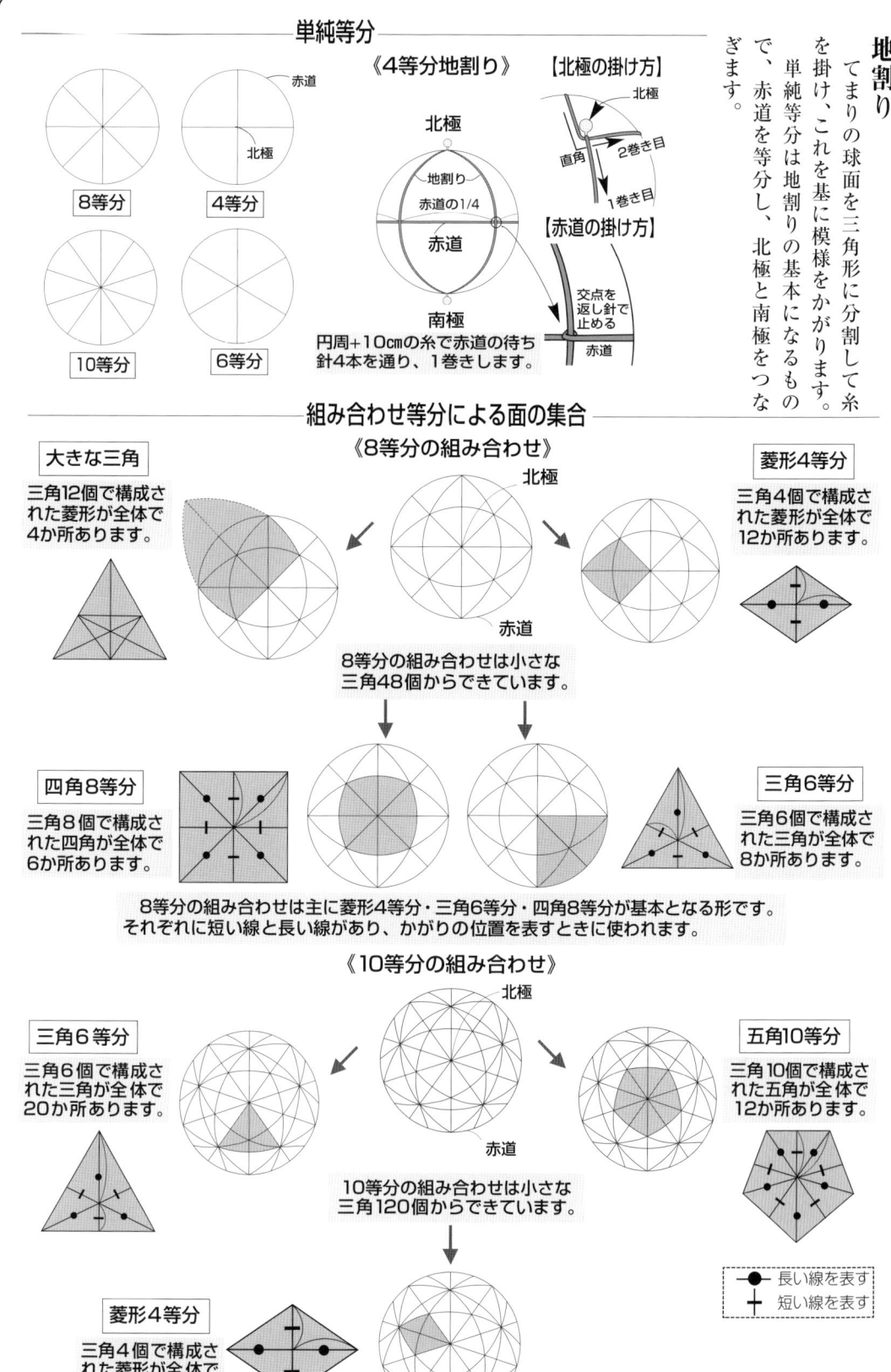

菱の実つなぎ　8等分の組み合わせ　■初級

口絵23ページ

■材料
土台まり　円周26.5cm
地巻き糸　白地巻き糸
地割り糸　金ラメ糸
かがり糸　5番刺繍糸1本どり　ピンクぼかし
　青　緑　黄　紺　白　薄緑　藤　紫　空色
薄茶

① 金ラメ糸で8等分の組み合わせの地割りをします。
② 地割り線の0.5cm中よりピンクぼかしで変形菱を5段かがります。
③ 四角8等分の中心に空色3段、黄2段、緑3段、紺3段、白2段、紫2段をねじりながら色を替え、色を替えるときはねじりを変えます。
④ 三角6等分の中心に藤3段、薄茶2段、青2段ねじりながらかがり、隣の三角は色を

ひまわり　10等分の組み合わせ　■初級

口絵15ページ

■材料
土台まり　円周27cm
地巻き糸　白地巻き糸
地割り糸　金ラメ糸
かがり糸　5番刺繍糸1本どり　薄緑　緑　茶
薄茶　黄

① 金ラメ糸で10等分の組み合わせの地割りをします。
② 五角10等分の長い線の1/2より三角を薄緑1段、緑3段、薄緑1段で三角をかがります。
③ 五角10等分の中心に茶で縦横5本ずつの格子を入れます。
④ 三角の角の間に一筆書きで2か所とばしの花(図2)を薄茶2段、黄3段でかがります。

菅沼　スミヱ

紀伊変わり芯菊　8等分の組み合わせ　■初級

口絵32ページ

■材料
土台まり　円周36cm
地巻き糸　緑地巻き糸
地割り糸　しつけ糸
かがり糸　25番刺繍糸1本どり　黄　ピンク濃淡5色　藤色濃淡5色　茶色濃淡5色　空色濃淡5色　白　紺　グレー　細金糸

① 大きな三角4つとり、細金糸で周りを囲み、角に三つ羽根を4つ紺4段を1段ずつねじりながらかがります。
② ①の外側をグレー4段、紺1段をねじりながらかがり、三つ羽根の先を紺4段で巻きかがりで止めます。
③ 大きな三角の中を細金まで12等分にし、中心から1cm下より1/2を黄で菊かがりを2段します。
④ 各色濃い色から2段ずつかがり、最後に

逆に同じ段数かがります。

⑤ 四角8等分短い線を中心の四角の角を結びながら薄緑2本どりでかがります。

鈴木　洋子

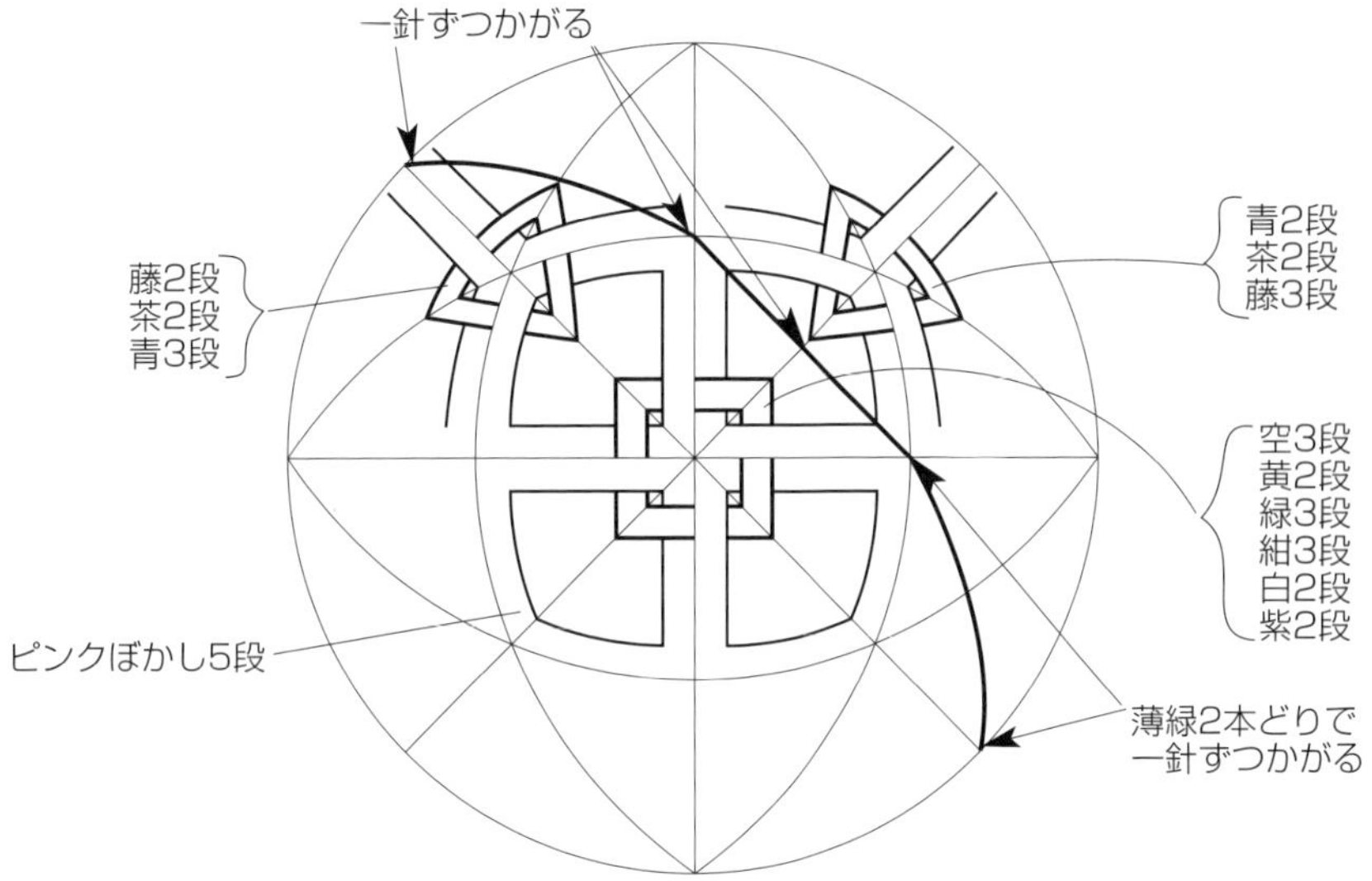

図1

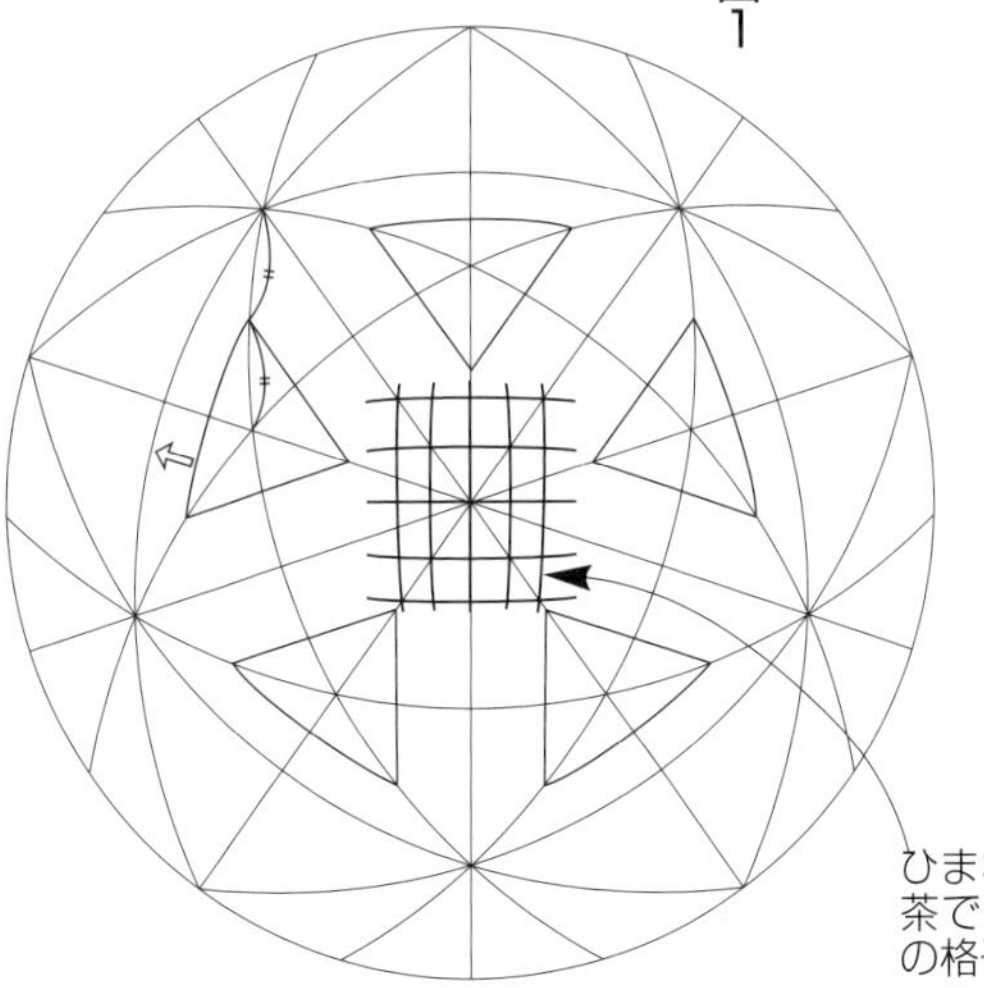
ひまわりの中心は
茶で縦横5本ずつ
の格子柄にする

三角の配色

色	段数
薄緑	1
緑	3
薄緑	1

図2

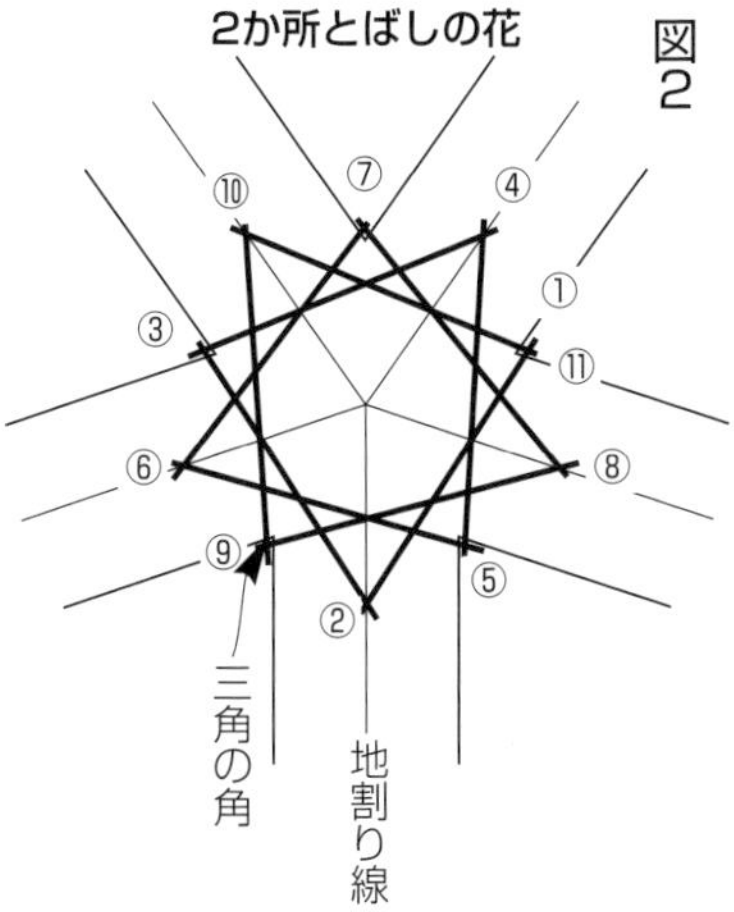

白1段かがります。

⑤ 中心から0.5cm下より菊かがりの黄1段目の上にのせて、黄1段かがり、さらに外回りだけ1段重ねます。

⑥ 最後に地割りのしつけ糸を取ります。

宮原　浩子

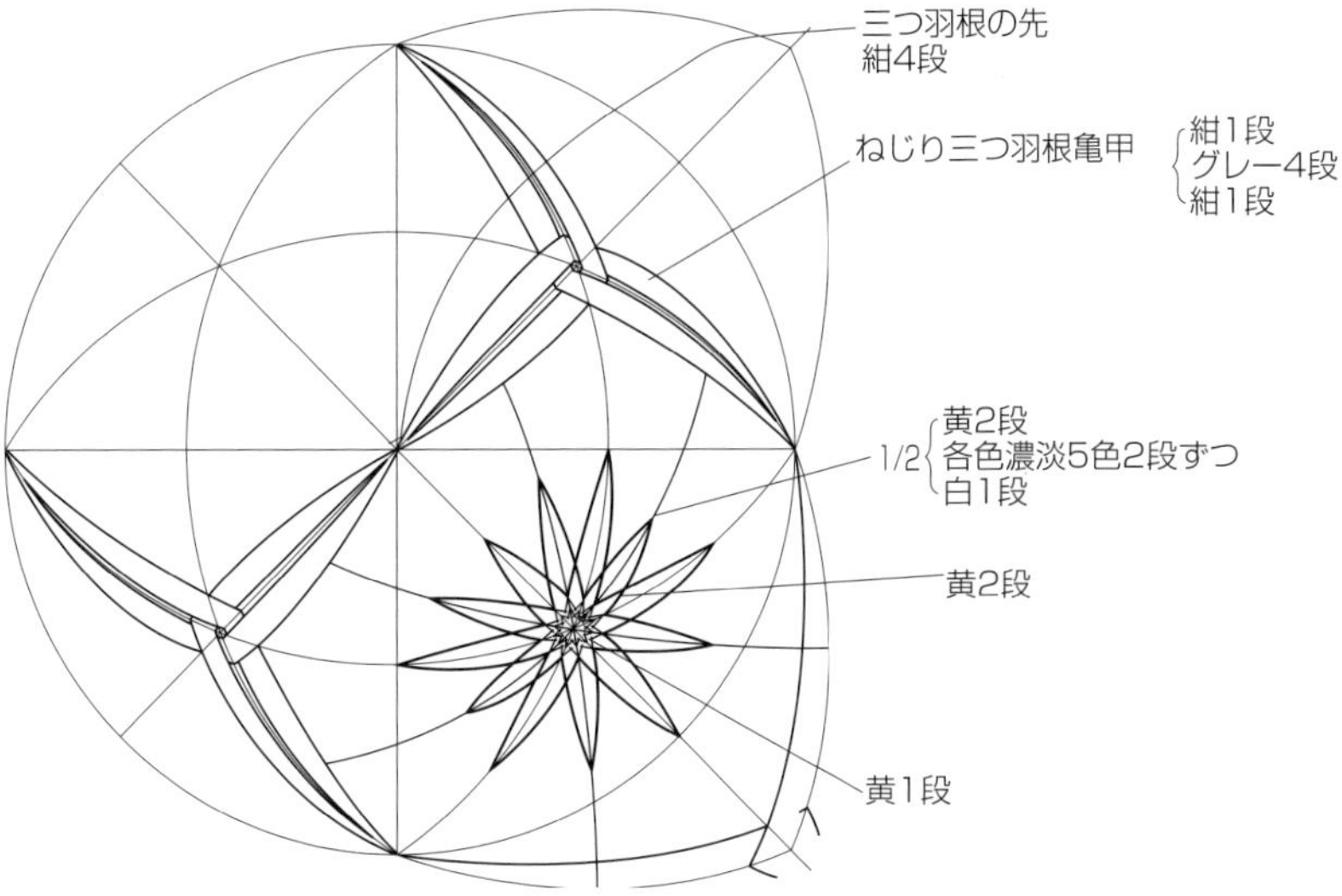

亀甲菊　4等分組み合わせ

■中級

口絵5ページ

■材料

土台まり　円周27㎝
地巻き糸　黒地巻き糸
地割り糸　しつけ糸
かがり糸　25番刺繍糸　白　黒　黄　水色　オレンジ　緑　赤　ピンク　細金ラメ糸

①　しつけ糸で4等分の組み合わせの地割りをします。
②　①の中心に一辺3㎝の六角を作り、白2本どりで12等分します。
③　角より0.7㎝中より白5段、黒2段かがり、角より0.3㎝、中より0.3㎝外を交互に黒2段かがります。
④　黒の外を白2段かがり、黒の外のかがりを隠します。
⑤　六角の中心を細金ラメ糸で2段、地割り糸をアウトラインステッチでかがります。

束ねのし　8等分

■中級

口絵31ページ

■材料

土台まり　円周29㎝
地巻き糸　ピンク地巻き糸
地割り糸　細金ラメ糸
かがり糸　25番刺繍糸2本どり　黒　黄（3本どり）　薄黄　薄緑　藤　緑　ピンク　空色　紺　白

①　金細ラメ糸で8等分の地割りをします。
②　赤道より1/3上下まで細金ラメ糸で地巻き糸の上に幅を上下しながら粗く巻きます。
③　赤道の上下1㎝を緑で巻きかがりをして、上下に黒2本どりで1段巻きます。
④　赤道より地割り線の両側を黒3本どりで0.8㎝幅に巻き、その上に黄2本どりで3本ずつ両側、中心と巻きます。
⑤　赤道4か所を黒1段、白3段で巻き（A）、ほかの4か所は黒1段、黄3段で巻きます

兜　8等分

■中級

口絵6ページ

■材料

土台まり　円周35.5㎝
地巻き糸　黒地巻き糸
地割り糸　細金ラメ糸
かがり糸　京てまり糸　藤　薄緑　緑　黄　空色　赤　紫　ピンク　黒　紫ラメ糸　金ラメ糸　紫打ち紐　紫房

①　細金ラメ糸で8等分の地割りをします。
②　赤道より北極に山型に紫5段、紫ラメ糸1段交互に8回繰り返し北極までかがります。
③　②の両側にY字型に補助線を入れ、中心より紫ラメ糸1段、金ラメ糸20段、紫ラメ糸2段かがります。
④　中心の赤道より下に紫ラメ糸2段、赤12段、紫ラメ糸2段かがります。
⑤　両脇の三角は藤3段、薄緑4段、緑5段、黄5段、空色4段、赤5段かがります。

⑥ 上下の六角の中に黄2本どりで上掛けを3段をかがりますが、下は地割り線の間をかがります。

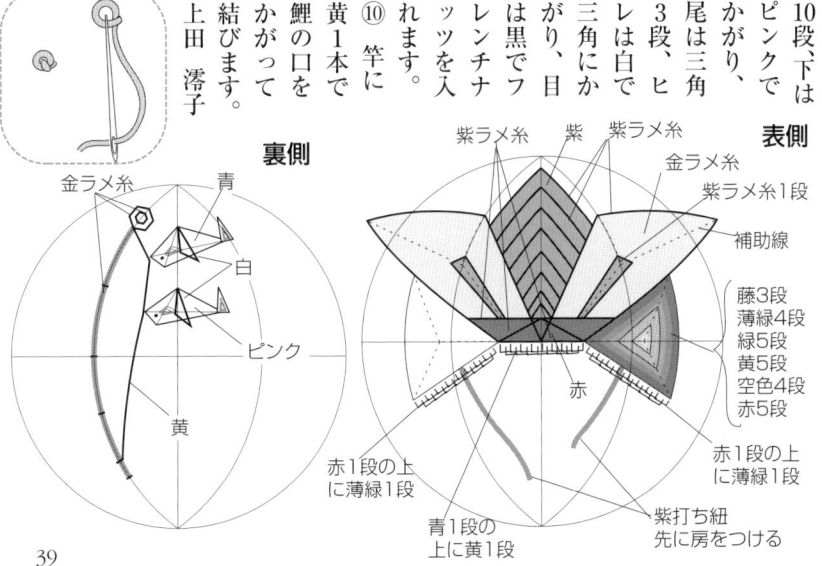

⑦ 六角の中の角より地割り3本の中を黄2本どりで7本の地割りを入れ、紫3段、黄1本どり1段菊かがりをします。水色、赤、ピンクも同様にかがり、最後の1段は全部黄でかがり、入れる位置もそれぞれ替えます。

⑧ 北極の六角の横に緑2本どりで扇をかがり、赤2本どりで紐、房をかがり、紐は1㎝間隔で止めておきます。

⑨ かがり終わったら地割り糸を取ります。

谷川　文代

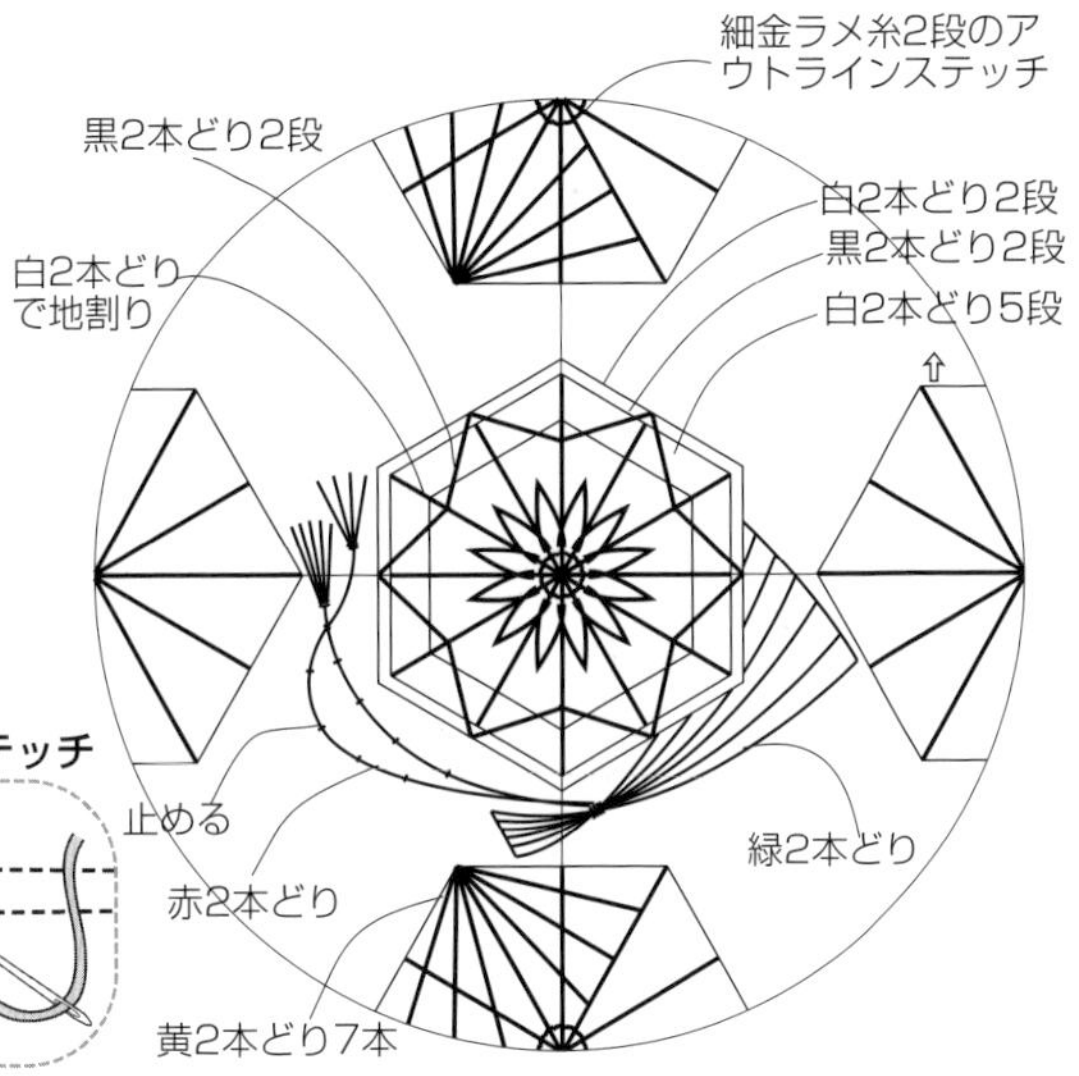

アウトラインステッチ

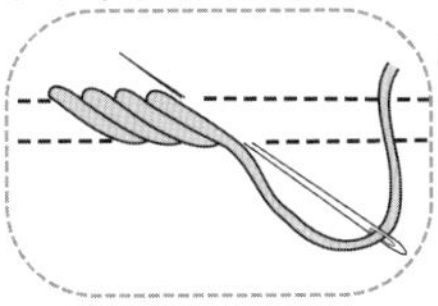

(B)。

⑥ 白の方は白3回、藤1回、紺1回巻き、ほかの4か所は黄、空、ピンク、薄緑、緑に黒2本どりを1段ずつ入れながら、各色は3本どりで4段巻きかがりをします。

⑦ 最後にAに黒（2本どり）1段、黄（3本どり）1段巻き、Bは黒2本どり2回巻き、両極に四角を作ります。

⑧ 赤道上を薄黄で束ねて、5回巻きかがりで止めます。

谷川　文代

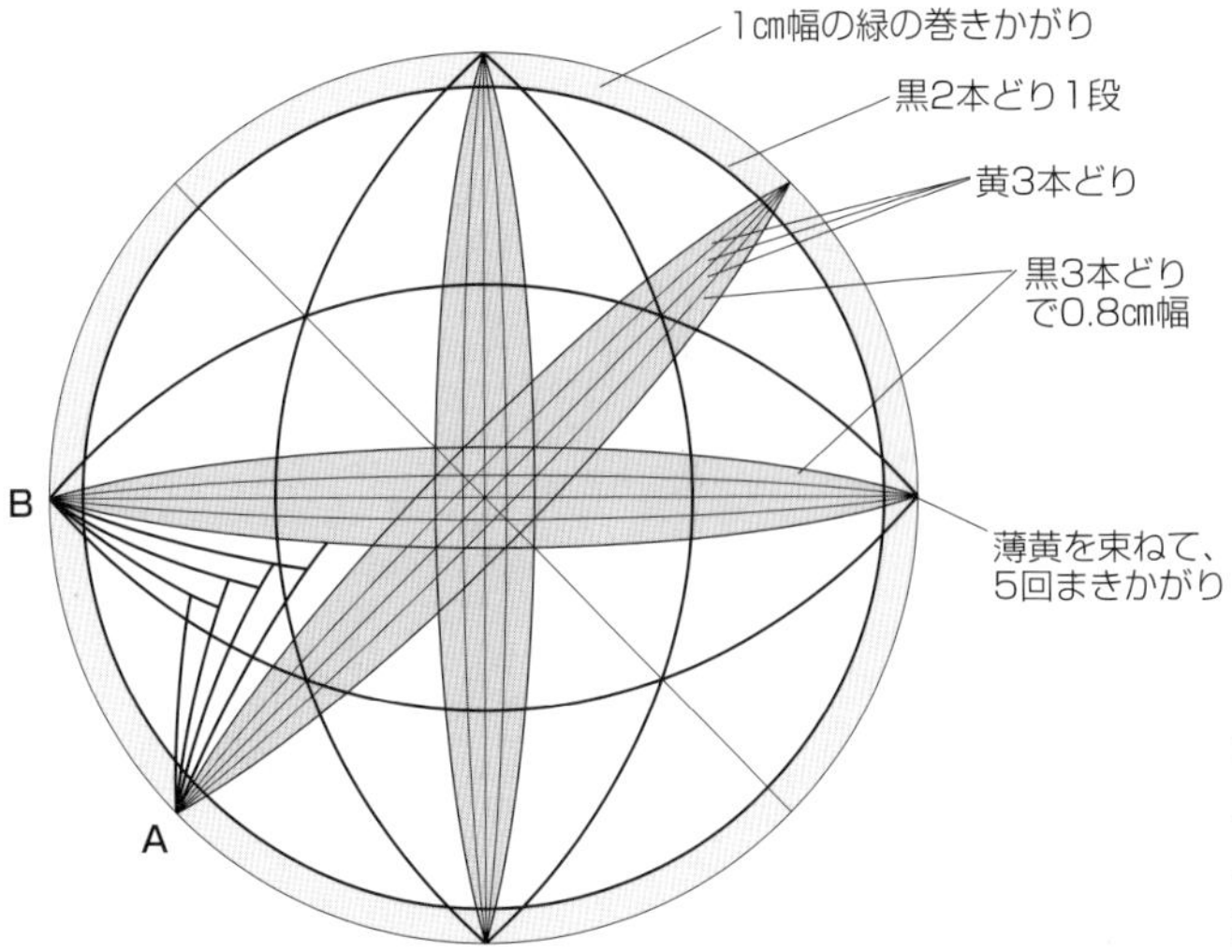

⑥ 中央下に空色1段、上に黄1段のせてボタンホールステッチをします。

⑦ 三角の下は赤1段、薄緑1段を上に重ねてかがり、三角の下に打ち紐を差し込み、先に房をつけます。

⑧ 裏側は地割り線の上に金ラメ糸4本沿わせ、上に赤で六角に3段、金ラメ糸1段、赤2段、金ラメ糸1段の飾りをかがります。

⑨ 変形五角の補助線を入れ、上の鯉は空色10段、下はピンクでかがり、尾は三角3段、ヒレは白で三角にかがり、目は黒でフレンチナッツを入れます。

⑩ 竿に黄1本で鯉の口をかがって結びます。

上田　澪子

フレンチナッツステッチ

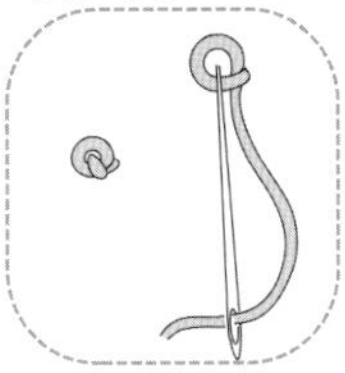

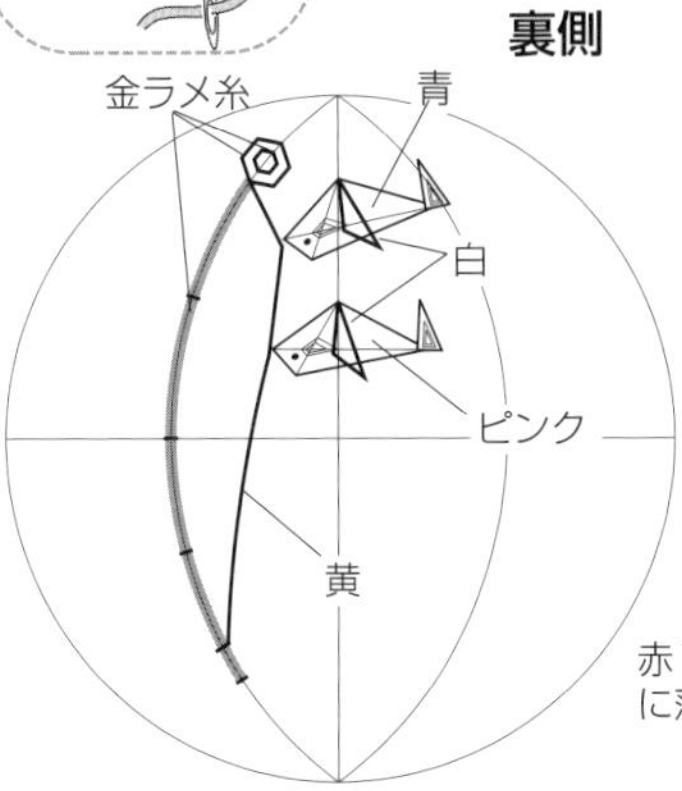

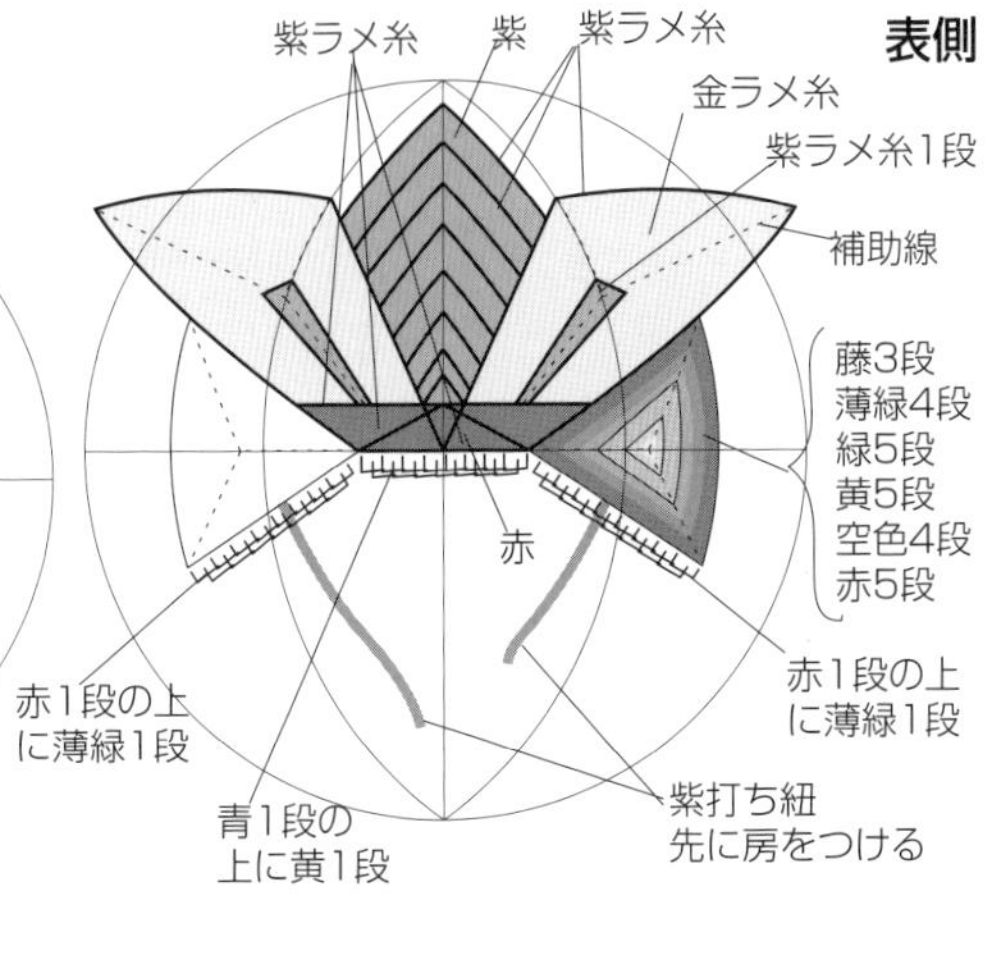

鯉のぼり　8等分組み合わせ　■中級

口絵6ページ

■材料

土台まり　円周30㎝

地巻き糸　黒地巻き糸

地割り糸　しつけ糸

かがり糸　25番刺繍糸　白　ピンク　濃ピンク　ベージュ　青　藤色　緑　えんじ　グレー　濃緑　金ラメ糸　細金ラメ糸

① しつけ糸で8等分の組み合わせの地割りをします。

② 赤道上に1/4の大きさの鯉を白3本どりで輪郭を取り、口の位置より尾までを8等分にし、三角を作り、交差点に濃ピンクで松葉かがりをし、その先をピンクで結び、Y字かがりにします。

③ 口元に白を3本どりで1本渡し、目の中心は白でフレンチナッツステッチをかがり、周りを青1段、白2段、金ラメ2段のアウト

花透かし　8等分の組み合わせ　■中級

口絵21ページ

■材料

土台まり　円周38㎝

地巻き糸　紺地巻き糸

地割り糸　細銀ラメ糸

かがり糸　草木染風木綿糸　白　5・25番刺繍糸　紺　細銀ラメ糸

① 細銀ラメ糸で8等分の組み合わせの地割りをします。

② 四角8等分を16等分に、三角6等分を12等分、菱4等分を8等分にする補助線をしつけ糸で入れます。

③ 地割り線の両極を白で7本ずつ巻きます。

④ ③で巻いた交差しているところの中心を25番糸1本どりで松葉かがりで止めておきます。

⑤ 三角6等分の③で巻いた外を紺で六角を3段かがります。

水辺の花　10等分の組み合わせ　■中級

口絵15ページ

■材料

土台まり　円周28㎝

地巻き糸　空色地巻き糸

地割り糸　細銀糸

かがり糸　5番刺繍糸　薄緑　緑　茶緑　薄ピンク　ピンク　黄　濃緑

① 細銀糸で10等分の組み合わせの地割りをします。

② 五角10等分の角より濃緑で渦かがりを濃緑で3段、緑4段、薄緑3段で中心までかがります。

③ 両極に細銀糸で5㎝の円形12等分の補助線を入れます。

④ ③の補助線に薄ピンク3段、ピンク2段の菊かがりの花をかがります。

⑤ 赤道上の五角2か所ずつに1弁の花びらは白2段、薄ピンク2段、ピンク3段でかが

ラインステッチでかがります。

④　胸びれは金ラメで、背びれと尾びれは白でかがり、中にベージュ2本どりで形を作ります。

⑤　反対側の鯉は青で松葉かがりをし、ベージュでY字かがりをします。

⑥　北極側に藤を刺繍し、南極側には桜と菖蒲を刺繍します。

谷川　文代

菖蒲の刺繍

桜の刺繍

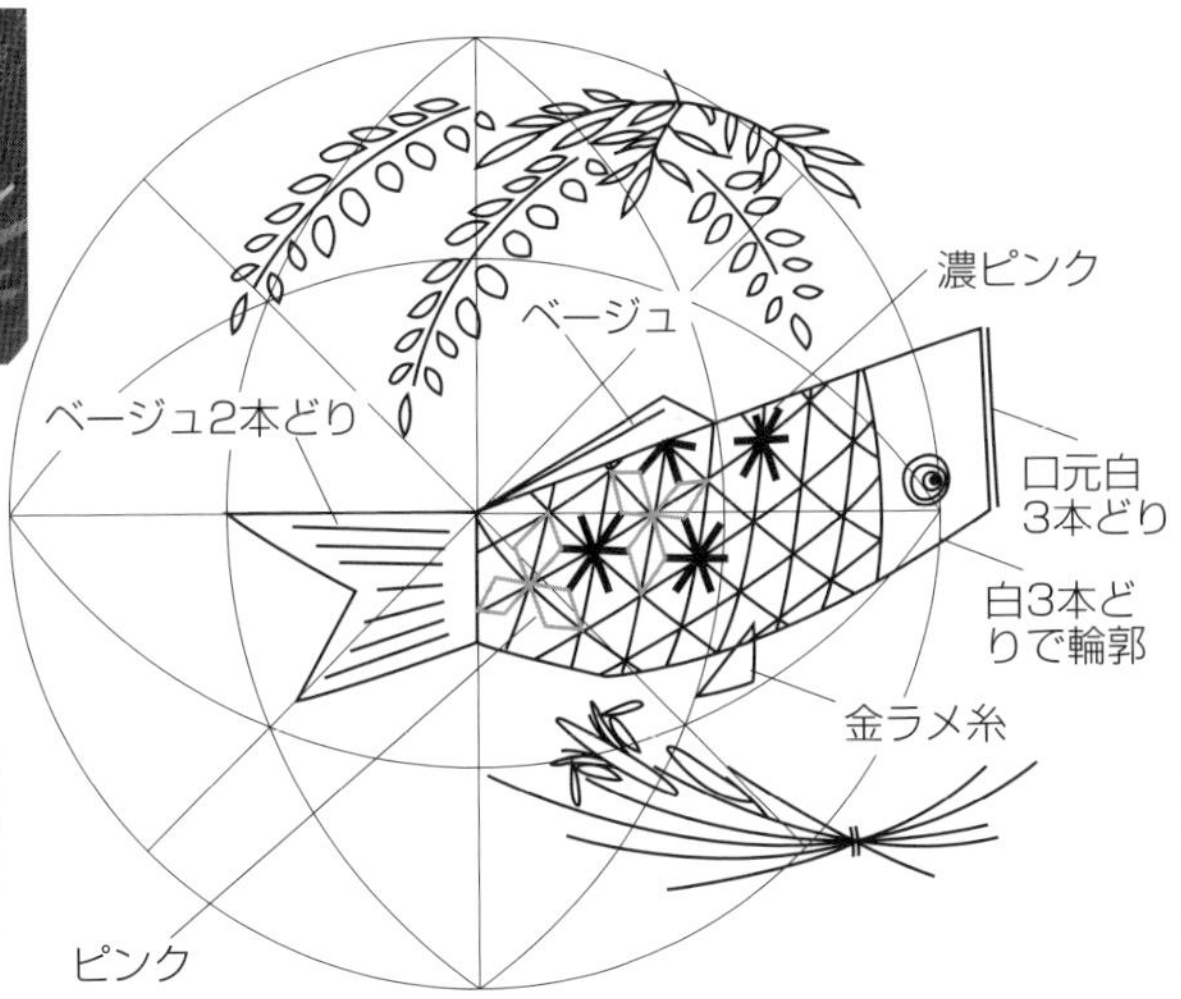

⑥　四角8等分の八角を紺で2段ずつくぐらせながら、花びらの形を作るように14段かがります。（図2）

⑦　十字に巻いたところの外に紺で2段ずつくぐらせながら花びらの形を作り14段かがります。

冨田　達

図2

4等分・8等分の花のかがり方

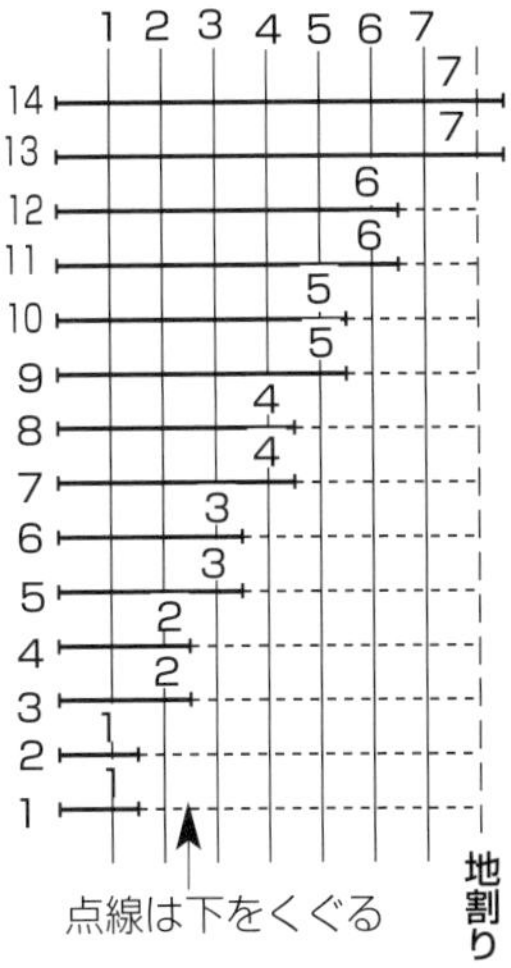

図1

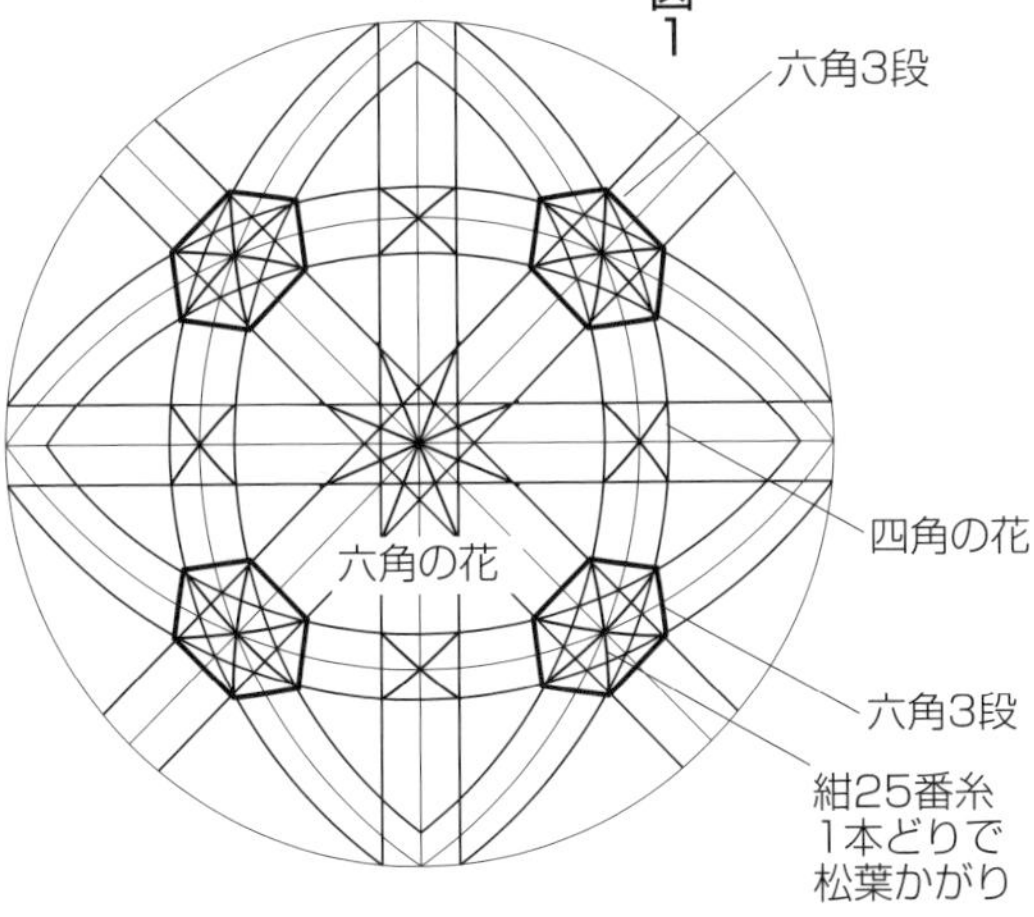

り、2弁、4弁の花は白2段、薄ピンク2段、ピンク2段でかがります。

⑥　1弁、2弁の花びらの中心側に緑で4段のVかがりをし、4弁の花には3段かがります。

⑦　両極の花の中心に濃緑でフレンチナッツを6個かがり、フレンチナッツの周りを黄のアウトラインステッチで囲みます。

谷川　文代

両極の花

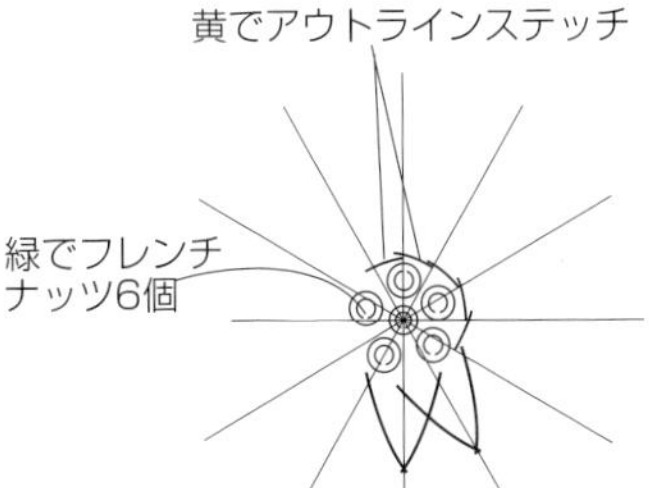

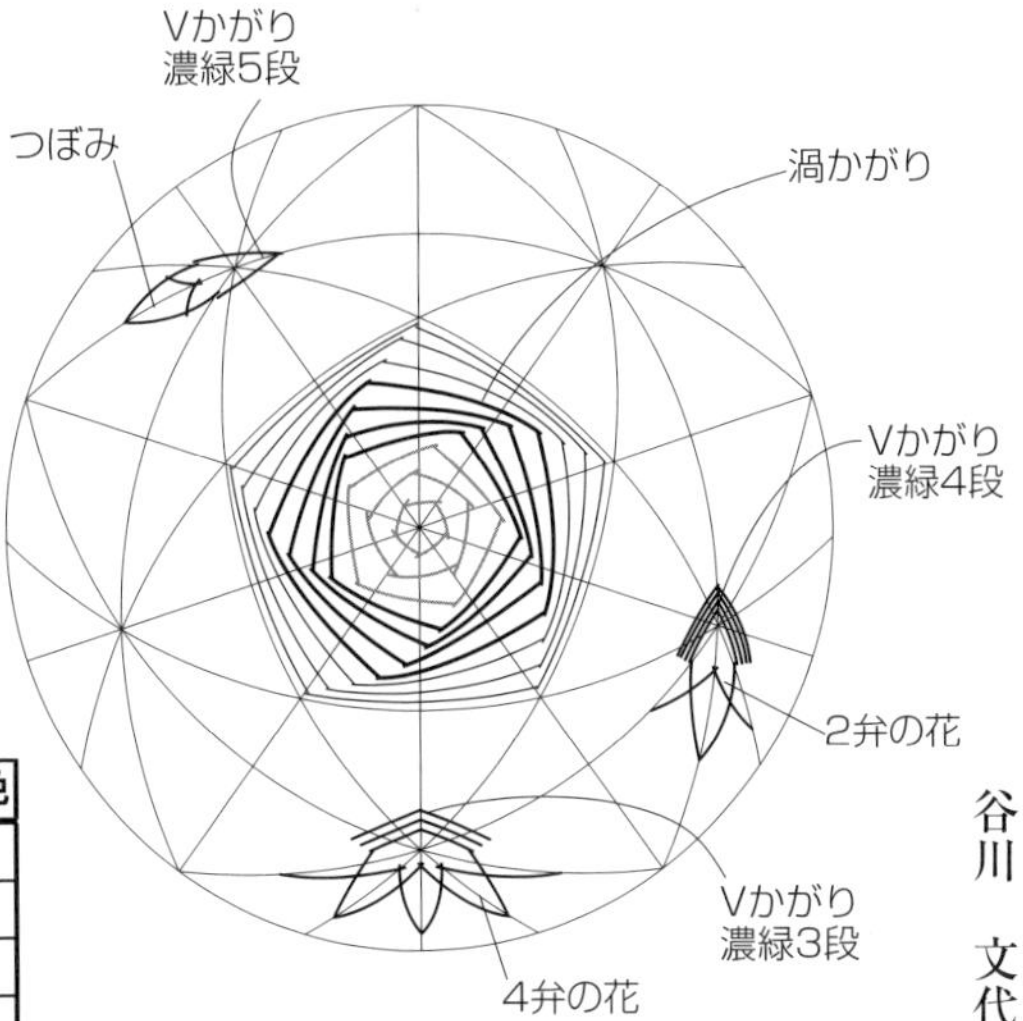

両極の花の配色

色	段数
白	2
薄ピンク	2
ピンク	2

渦かがりの配色

色	段数
濃緑	3
緑	4
薄緑	3

垣根のバラ　12等分　■中級

口絵11ページ

■材料

土台まり　円周27.5cm

地巻き糸　空色地巻き糸

地割り糸　しつけ糸

かがり糸　5番刺繍糸6本どり、3本どり、2本どり　白　藤　緑　えんじ

① 両極に直径3cmの円の紙を待ち針で止めます。

② 白3本どりで赤道より出し、両極の紙の端を通りながら地割り線で交差させながら2段巻きます。

③ ②で巻いた白の両側を藤色3本どりで巻きます。

④ 赤道の交差したところにえんじ2本どりでフレンチナッツステッチを一つずつ入れます。

⑤ 赤道の④の間にえんじ3本どりでローズステッチをかがります。

秋景色　20等分　■中級

口絵13ページ

■材料

土台まり　円周31cm

地巻き糸　藤地巻き糸

地割り糸　しつけ糸

かがり糸　25番刺繍糸　黄　オレンジ　茶　緑　薄緑　紫　細金ラメ糸

① しつけ糸で20等分の地割りをします。

② 両極に直径6.5cmの円の紙をつけます。

③ 赤道より緑6本どりで右（5本目）の地割りで②の紙の端を通り、右（10本目）で赤道へ戻り、続けて南極側へ進みます。

④ 交差させながら巻き進み、出発点に戻ります。

⑤ ③で巻いた緑の間に薄緑で同様に巻き、紫2本どりとオレンジ2本どりを交互に沿わせて巻きます。

⑥ 両極に2本どりで長さ3cmの地割りを10

星　空　10等分の組み合わせ　■中級

口絵7ページ

■材料

土台まり　円周42.5cm

地巻き糸　紺地巻き糸

地割り糸　しつけ糸

かがり糸　25番刺繍糸　白　青　薄グレー　濃グレー　細金ラメ糸　細銀ラメ糸　金ラメ糸　青ラメ糸　赤ラメ糸　大小星型スパンコール

① しつけ糸で10等分の組み合わせの地割りをします。

② 五角10等分の長い線を3等分し、各線1/3を結んで五角12個、六角80個の92面体をしつけ糸で作ります。

③ 北極側の五角の中心6個の中に金ラメ糸で逆上掛けかがりで中心までかがります。

④ ③の星の横から北極の星の横を通り、一周するように青7段、濃いグレー5段、薄グレー4段、細銀ラメ糸1段の小さい千鳥かが

⑥ ⑤の上下に小さいローズステッチをかがります。

⑦ 両極に白2本どりで6段、菊かがりをし、両極と周り4か所にローズステッチの花をかがります。

谷川　文代

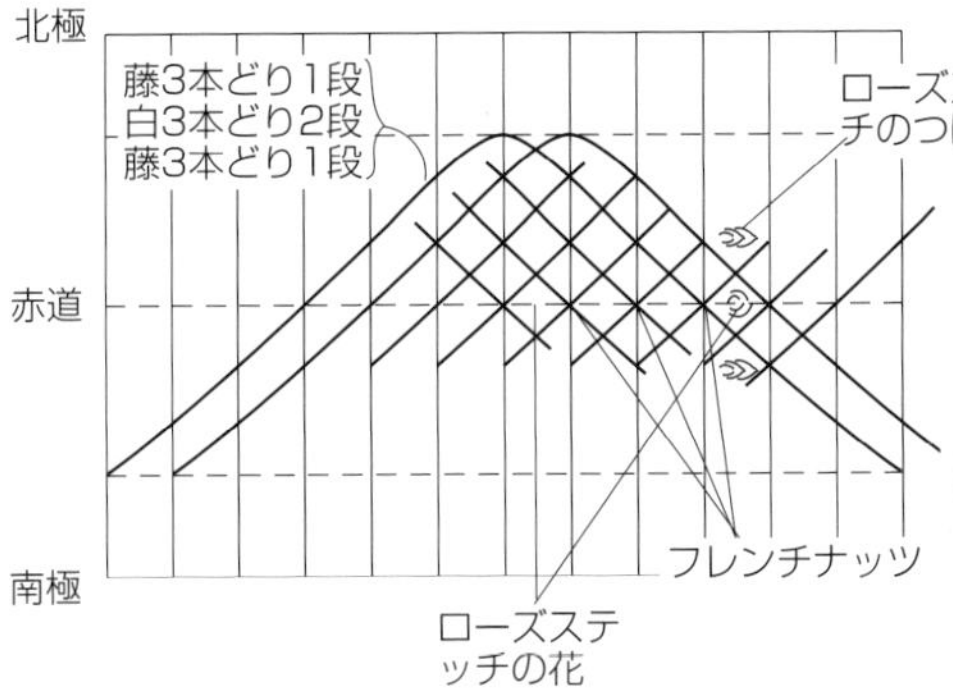

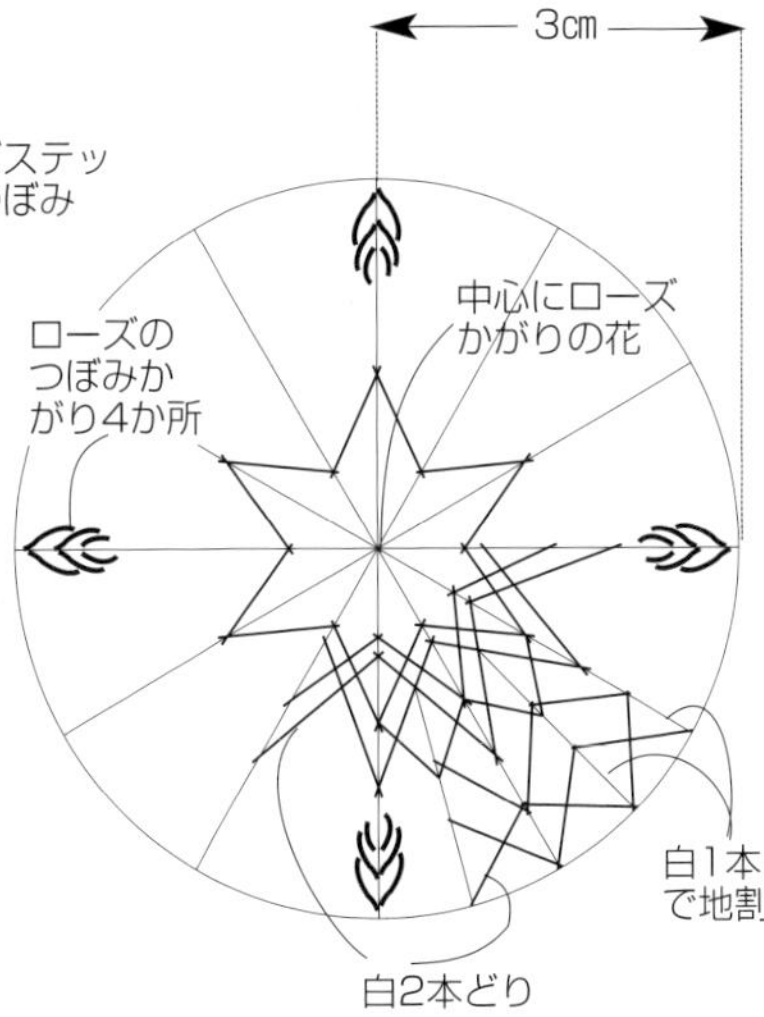

本入れ、紫2本どりで上掛け菊かがり3段、緑1本どり1段かがります。

⑦ 緑2本どりで長さ1㎝の地割りを5本入れ、1段上掛けかがりでかがり、茶、オレンジも同様にかがります。

⑧ 黄2本どりで長さ1㎝5本の地割りを入れ、上掛け3段オレンジでかがり、最後の1段は紫1本どりでかがります。

⑨ 土台の空いているところに緑、紫、細金ラメ糸1本どりで線を散らします。

谷川　文代

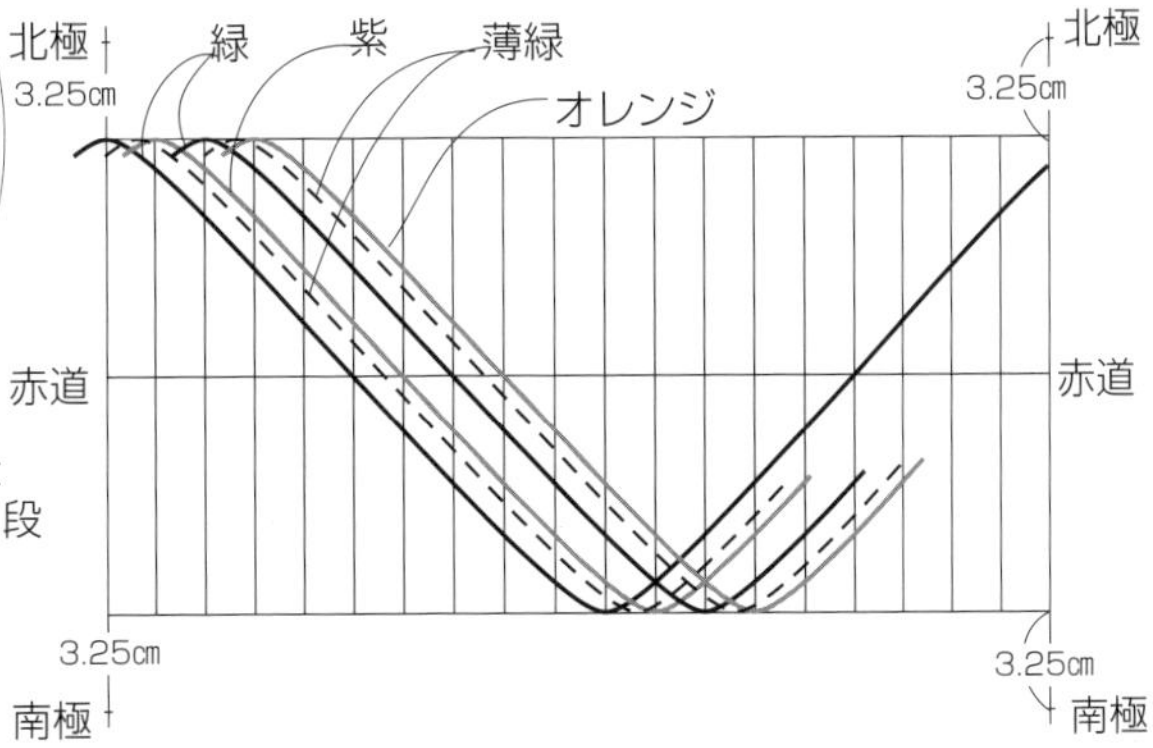

りをします。

⑤ ④の間に細金ラメ糸で変形六角を続けるようにかがり、交差したところを金ラメ糸で止めます。

⑥ 白2本どりで山型に結び星座を形作り、白の始めと終わり、中間を金ラメ糸で止めます。

⑦ ④のかがりの上や空いているところに大小星型スパンコールを散らします。

冨田　達

星かがり（逆上掛けかがり）

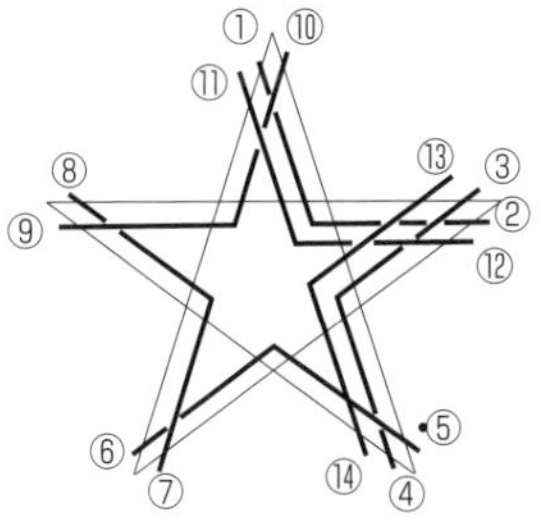

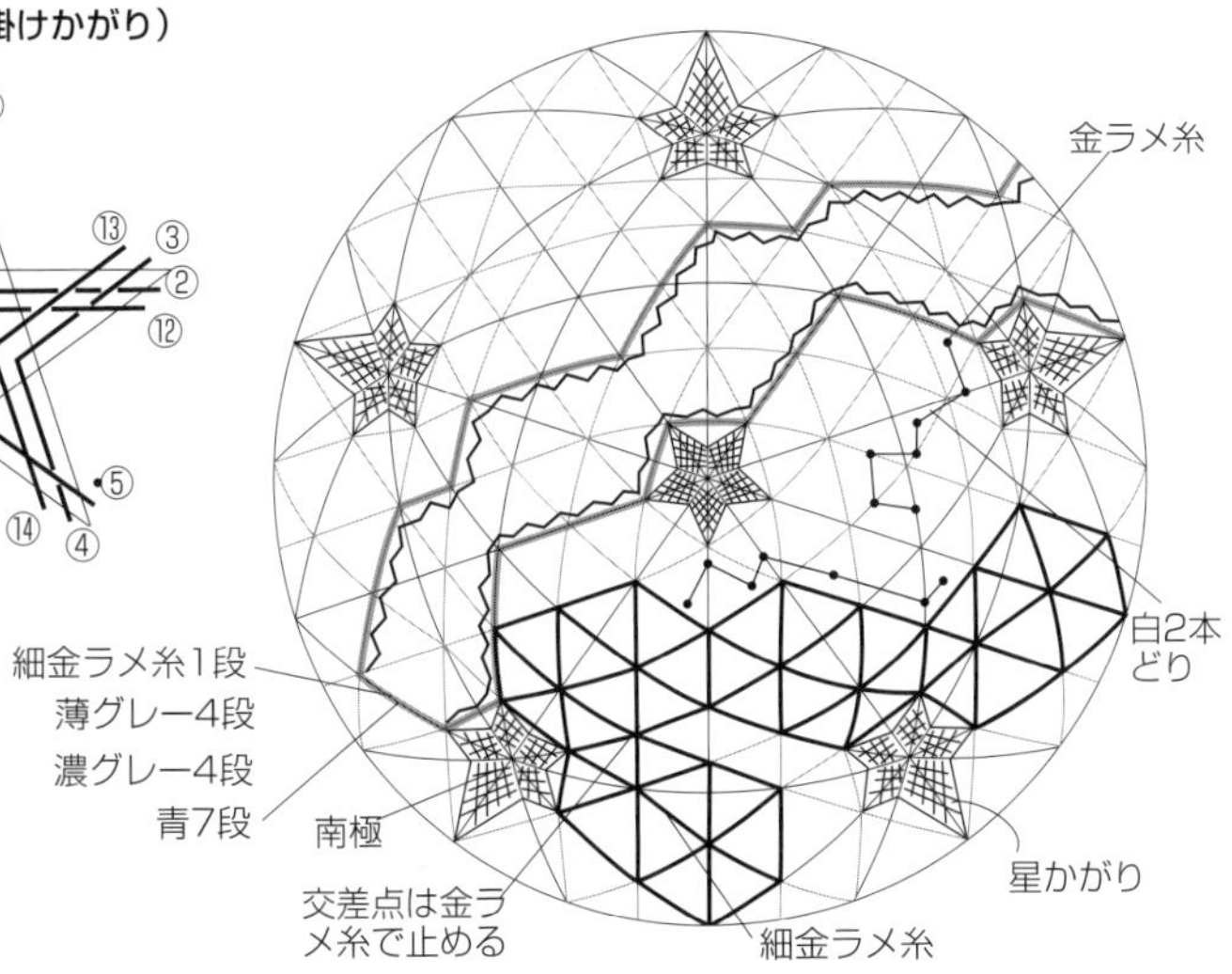

紡錘型切り子　8等分の組み合わせ　■中級

口絵20ページ

■材料

土台まり　円周27㎝
地巻き糸　白地巻き糸
地割り糸　しつけ糸
かがり糸　5番刺繍糸　白　水色　青　紺

① しつけ糸で8等分の組み合わせの地割りをします。
② A、B、Cそれぞれの位置より水色、青、紺で1段紡錘型をかがります。
③ D、E、Fからは白1段紡錘型をかがります。
④ 8等分の四角が埋まるまで②と③を交互にかがります。
⑤ 裏面も③と④を同時にかがります。
⑥ ③でかがった横の四角に白で三角をかがりますが、一辺は下をくぐらせ埋めます。
⑦ ⑥でかがった山型の中心から水色、青、

クリスタル　6等分　■上級

口絵21ページ

■材料

土台まり　円周30㎝
地巻き糸　ブルー地巻き糸
地割り糸　銀ラメ糸
かがり糸　25番刺繍糸2本どり　白　紺　グレー　黒(3本どり)　銀ラメ糸　白ラメ糸

① 銀ラメ糸で6等分の地割りをします。
② 極、赤道の1/2を結んで上下に六角を作り、赤道上に3個の菱を作ります。
③ 銀ラメ糸で六角の中を24等分にする補助線を入れ、中心より0.5㎝下より白2本どりで筋立て上掛けかがりを14段かがり、紺2段、終わりの2段は銀ラメ糸でかがります。
④ 六角の角と赤道を結ぶ三角の中を三角2個、菱1個にし、中に銀ラメ糸で松葉かがりを入れます。
⑤ 赤道上の菱の中に銀ラメ糸で格子の補助

つな遊び　30等分　■上級

口絵19ページ

■材料

土台まり　円周37㎝
地巻き糸　黒地巻き糸
地割り糸　金ラメ糸
かがり糸　京てまり糸　紺　青　空色　水色　濃緑　緑　薄緑　草色　濃ピンク　ピンク　薄ピンク　薄々ピンク

① 金ラメ糸で30等分の地割りをします。
② 赤道より上下に1㎝間隔に6本ずつ補助線を入れます。
③ 両極より0.5㎝下より2㎝と結んで、地割り線1本飛ばしの菊かがりを薄々ピンク2段、薄ピンク2段、ピンク2段でかがります。
④ 緑系、青系も③と同じようにかがりますが、他の色を下、上と交互にかがります。
⑤ 赤道より地割り線2本飛ばしながら、各色2本どりで2段ずつ8段かがり、次は下へ

紺で紡錘型を8段ずつ交互にくぐらせながらかがり、裏面も同様にかがります。

⑧ 残った四角に中心より紡錘型交差を白2段、水色3段、青3段、紺2段、水色1段、紺1段で埋め、裏面も同様にかがります。

谷川　文代

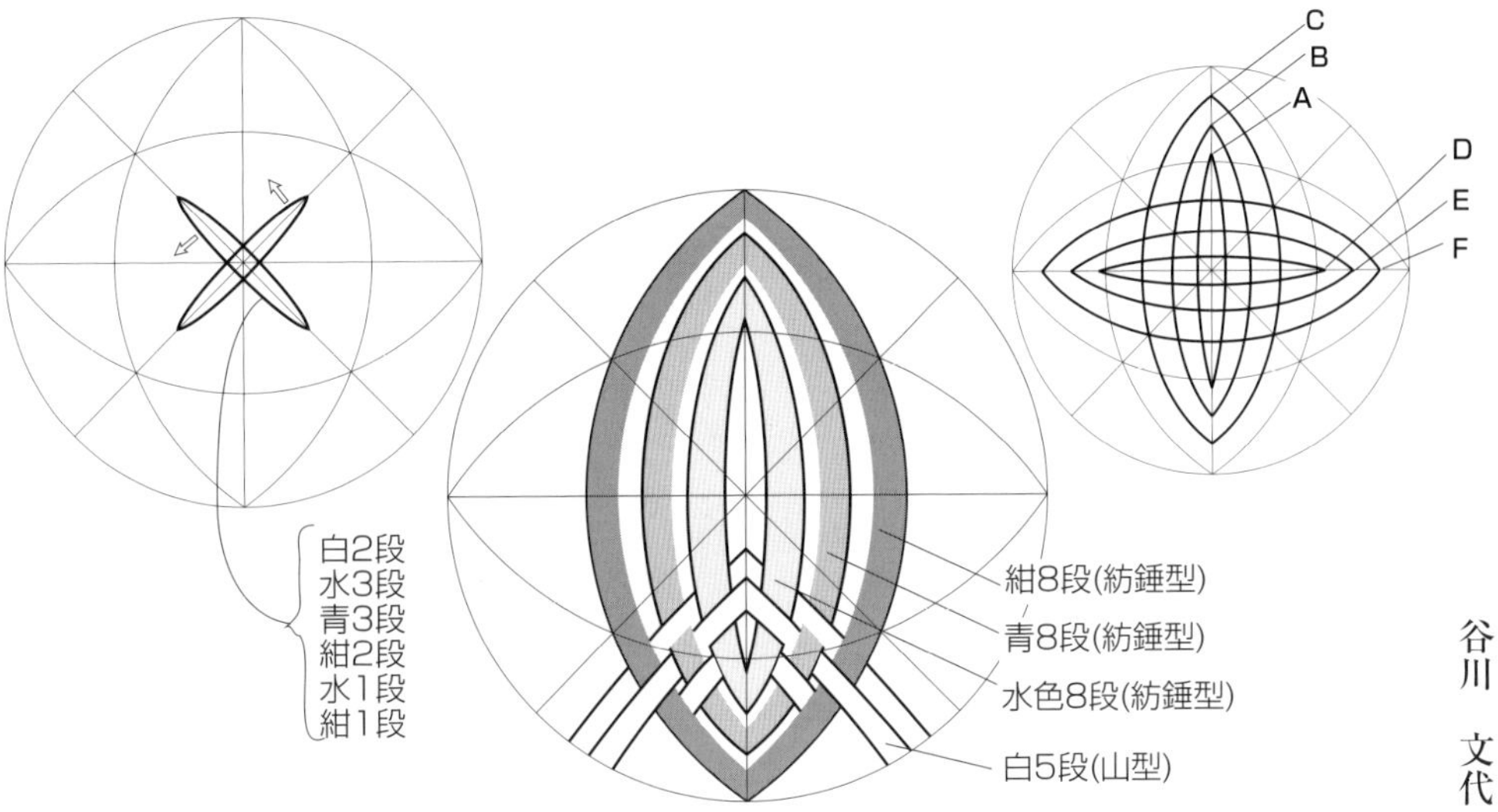

線を入れ、縦の銀ラメ糸11本の両側を白3本どりで1段でかがります。

⑥ 横7段は上下をグレー3本どりで1段でかがり、⑤と交互にかがり埋め、菱と三角の周りを紺3本どり1段、白2本どり1段、紺3本どり1段で囲みます。

⑦上下の六角の周りは紺3本どり2段、白2本どり1段、空色2本どり1段、紺3本どり2段をかがります。

⑧ 六角、菱の周りを白ラメ糸と黒2本どりで撚りながら境を入れます。

谷川　文代

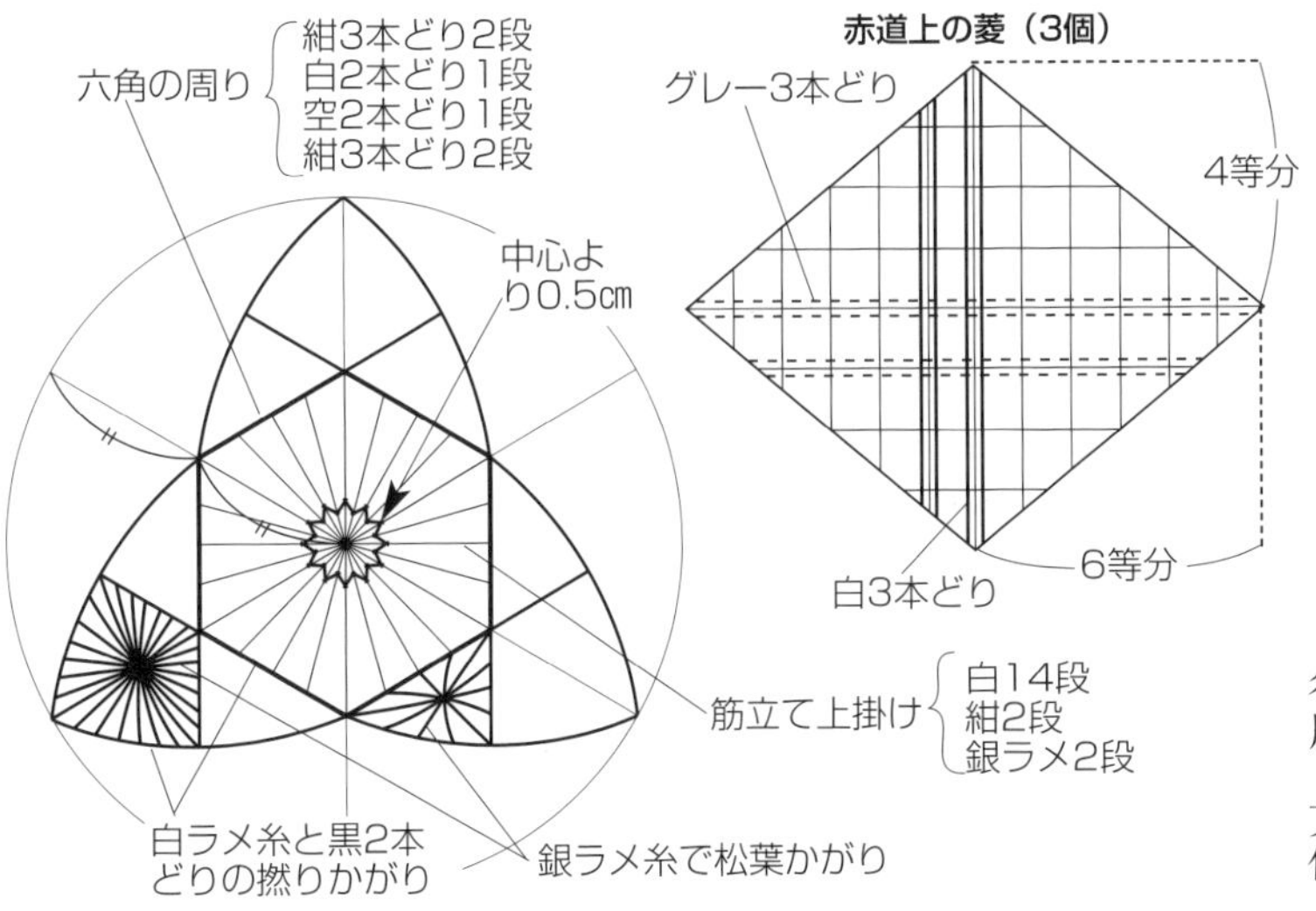

補助線2段下げてかがります。

⑥ 緑系、青系も⑤と同様に他の色を下、上と交互にかがります。

⑦ 上下共両極の菊かがりまで6模様かがります。

橋崎　美智子

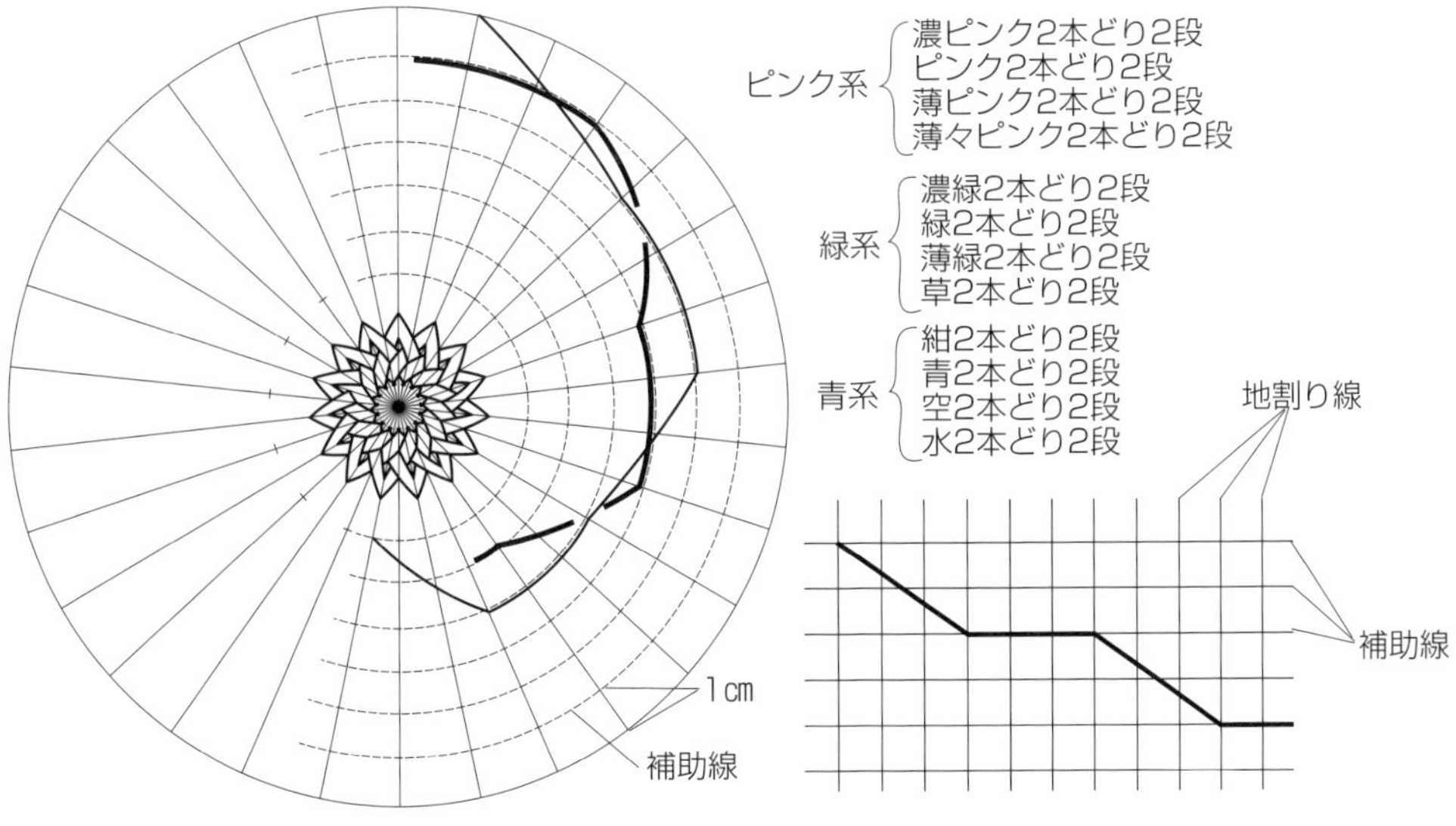

万華鏡I　10等分の組み合わせ　■上級

口絵30ページ

■材料

土台まり　円周33.5cm
地巻き糸　青磁色地巻き糸
地割り糸　細ラメ糸
かがり糸　草木染風木綿糸　淡ピンク　濃ピンク　濃緑

① 細ラメ糸で10等分の組み合わせの地割りをします。
② さらに細かく地割りをして、三角120個に割ります。
③ ②の地割りの上に濃緑で五角12個、六角20個三段ずつ、角を三つ巴にするようにかがります。
④ ③でできた五角、六角の短い線に六角の中心には濃ピンクの4段の紡錘型を3個、中心を組みながらかがります。
⑤ 五角の中心には淡ピンク2段の紡錘型を

星のまたたき　10等分の組み合わせ　■上級

口絵22ページ

■材料

土台まり　円周38cm
地巻き糸　白地巻き糸
地割り糸　細ラメ糸
かがり糸　草木染風木綿糸　青濃淡3色　茶濃淡3色　グレー濃淡3色　緑濃淡3色　紺濃淡3色　黄　からし

① 細ラメ糸で10等分の組み合わせの地割りをします。
② 三角6等分の長い線を4等分し、1/4より黄1段を12個かがります。
③ 各色濃淡3色で1/4より五角を1段かがります。
④ ②と③を交互に9段かがり、一番大きい五角は10段かがります。
⑤ 最後に五角を白で1段かがり、各五角を区切ります。

おもだか　10等分の組み合わせ　■上級

口絵22ページ

■材料

土台まり　円周51cm
地巻き糸　茶地巻き糸
地割り糸　細ラメ糸
かがり糸　京てまり糸　赤　えんじ　黄土　青　茶　藤　グレー　緑　濃緑　オレンジ

① 細ラメ糸で10等分の組み合わせの地割りをします。
② 赤で五角10等分の長い線の1/2より五角の外回りを通り、五角10等分の長い線の1/2まで紡錘型の1段を北極側5か所、南極側5か所にかがります。
③ ほかの色も相対するところは2か所ずつ紡錘型を1段かがります。
④ ②、③を交互に12段かがります。
⑤ 五角10等分の短い線を緑で7回巻きかがりをして、リボンのように締めます。

かがり、中心を2回ずつ止めます。
⑥　五角と六角の境は淡ピンク3段、濃ピンク1段、③でかがった五角、六角をねじりながら紡錘型をかがります。

黒田　幸子

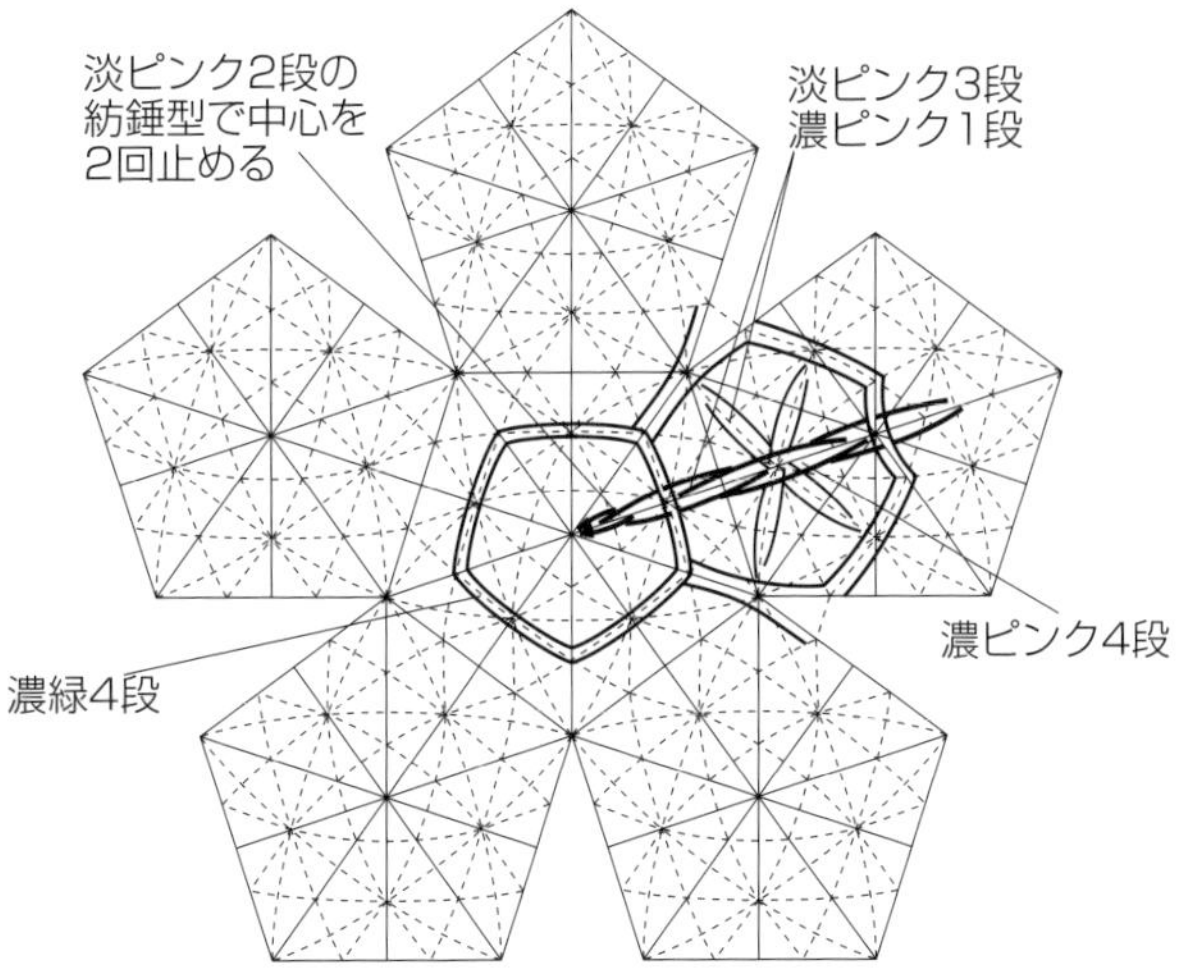

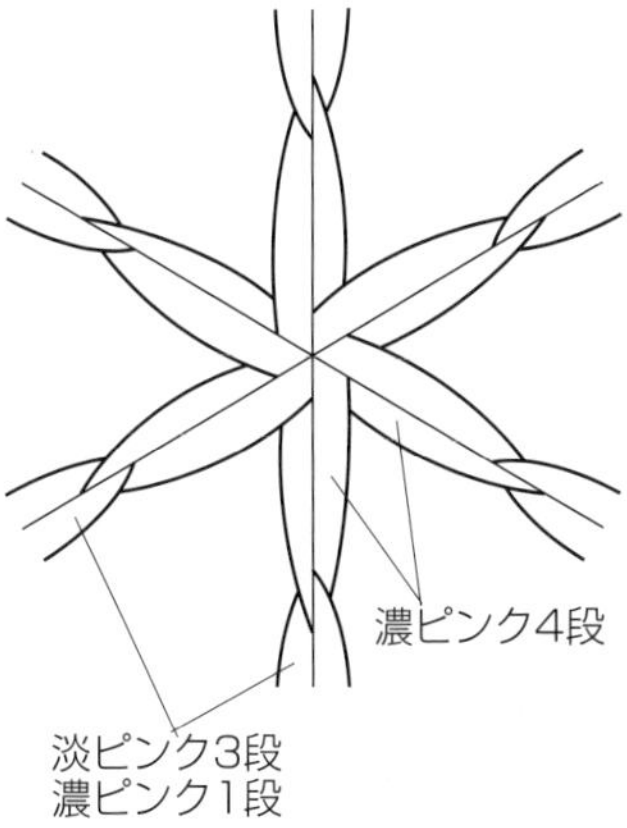

⑥　五角10等分の中心にからし色の糸で松葉かがりを入れます。

黒田　幸子

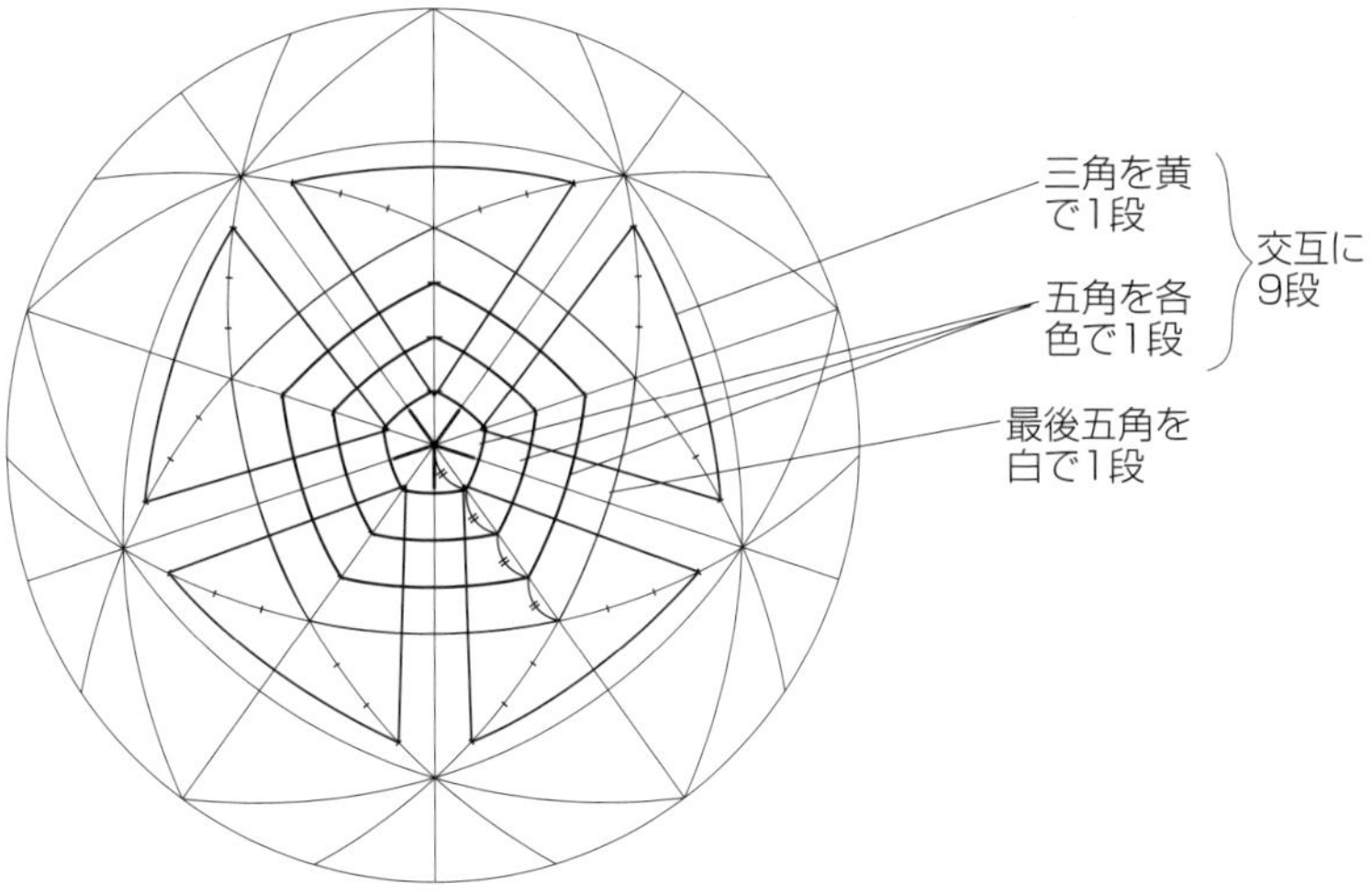

⑥　できた六角の花形の外を白で1段かがり、⑤でかがった巻きかがりのところは際をくぐらせてかがります。
⑦　五角10等分の中心に細ラメ糸で3本ずつ松葉かがりを入れます。

黒田　幸子

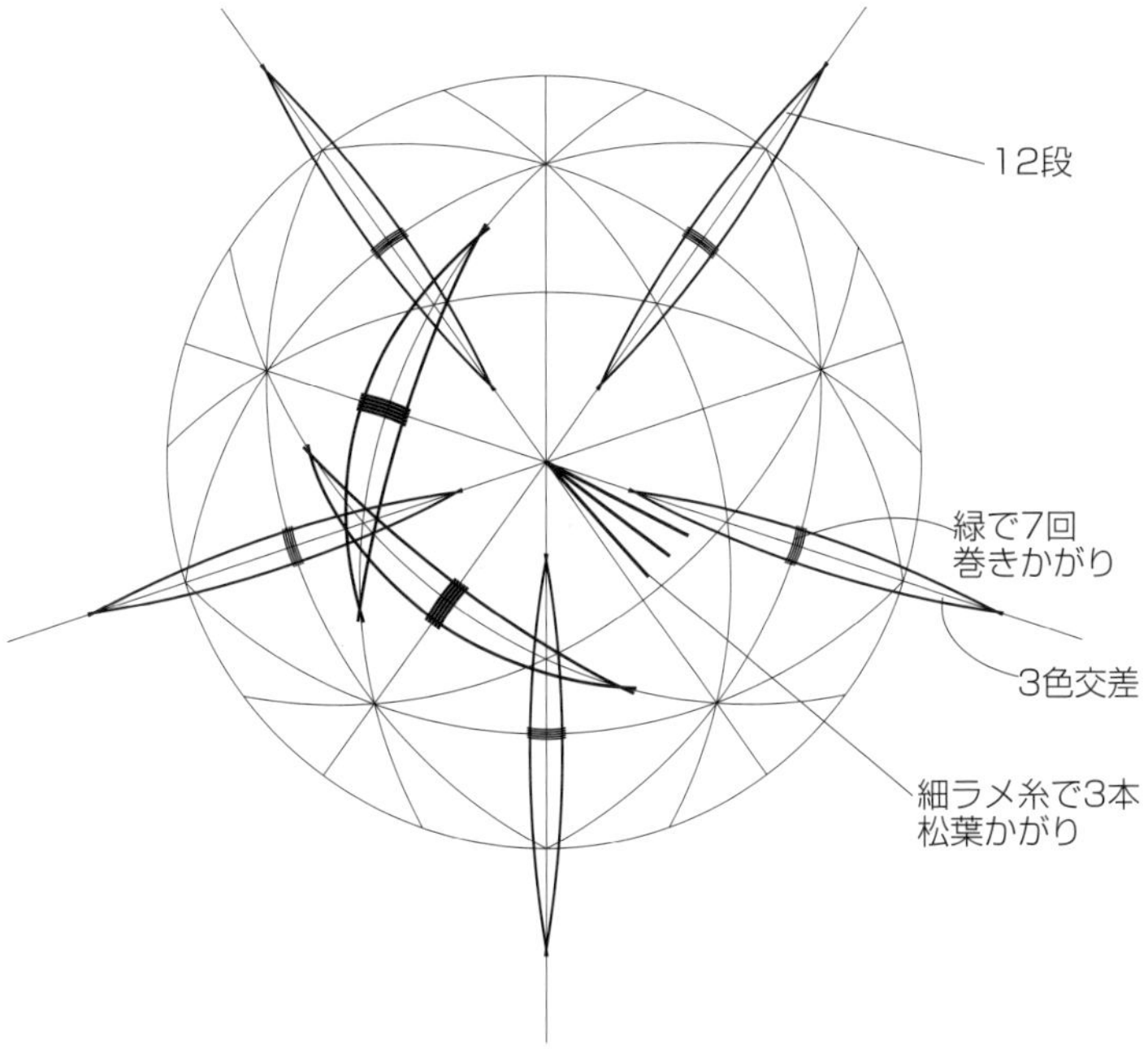

鶴　8等分の組み合わせ　■上級

口絵3ページ

■材料

土台まり　円周28㎝
地巻き糸　黒地巻き糸
地割り糸　しつけ糸
かがり糸　25番刺繍糸　緑　黄緑　白　赤　紫
朱　青　金糸　金茶

①　8等分の中心から1.5㎝残して、6等分の三角に、黄緑と緑の縞で連続三角かがりA～Fを三か所します。（図1）

②　連続三角かがりの外側を8等分にして、白で半月形の菊を三辺にかがり、鶴のつばさにみたて、尾の部分は紫でかがります。鶴の首をかがり、金糸でくちばしと脚をかがります。（図2）

③　残った6等分三角形4か所に、三つの六角形を重ねてかがり、亀甲模様にします（金茶、朱、金茶の縞で3段）。

飛翔　10等分の組み合わせ　■上級

口絵1ページ

■材料

土台まり　円周57.5㎝
地巻き糸　白地巻き糸
地割り糸　赤糸2本どり
かがり糸　京てまり糸　赤　白　黒　茶　緑
からし

①　赤京てまり糸2本どりで10等分の組み合わせの地割りをします。

②　五角一辺を6等分にして小さい三角を作ります。

③　②の三角の中を赤1本どりでY字をかがり、麻の葉にします。

④　両極に緑1本どりで松葉かがりを4.5㎝の円形にかがり、中心にからし色でローズステッチを入れます。

⑤　両極の④の周りに鶴を白2本どりで5羽かがり、羽根の間を黒2本どりでかがり、足

祝鶴　60等分　■上級

口絵2ページ

■材料

土台まり　円周40.5㎝
地巻き糸　赤地巻き糸
地割り糸　細金ラメ糸
かがり糸　京てまり糸　白　黒　水色　赤　緑
茶　薄緑　ピンク　緑ラメ糸　金ラメ糸　赤
ラメ糸　細金ラメ糸

①　細金ラメ糸で60等分の地割りをします。

②　赤道の上下を緑で20段巻き、上下を緑ラメ糸で1本ずつ巻き、地割り糸5本ごとに緑ラメ糸で止めます。

③　両極と赤道の1/2より黒2本どりで上掛けを3段、金2本どりを1段を5本かがります。

④　地割り線26本残して、羽根を水色2段、白6段長短をつけてかがり、最後に金ラメ糸1段をかがりますが、左右のかがりの向きを変えます。

④　8等分の中心に、一本どりで半径1.5㎝の24等分の松葉を6か所かがります。

谷川　文代

図1

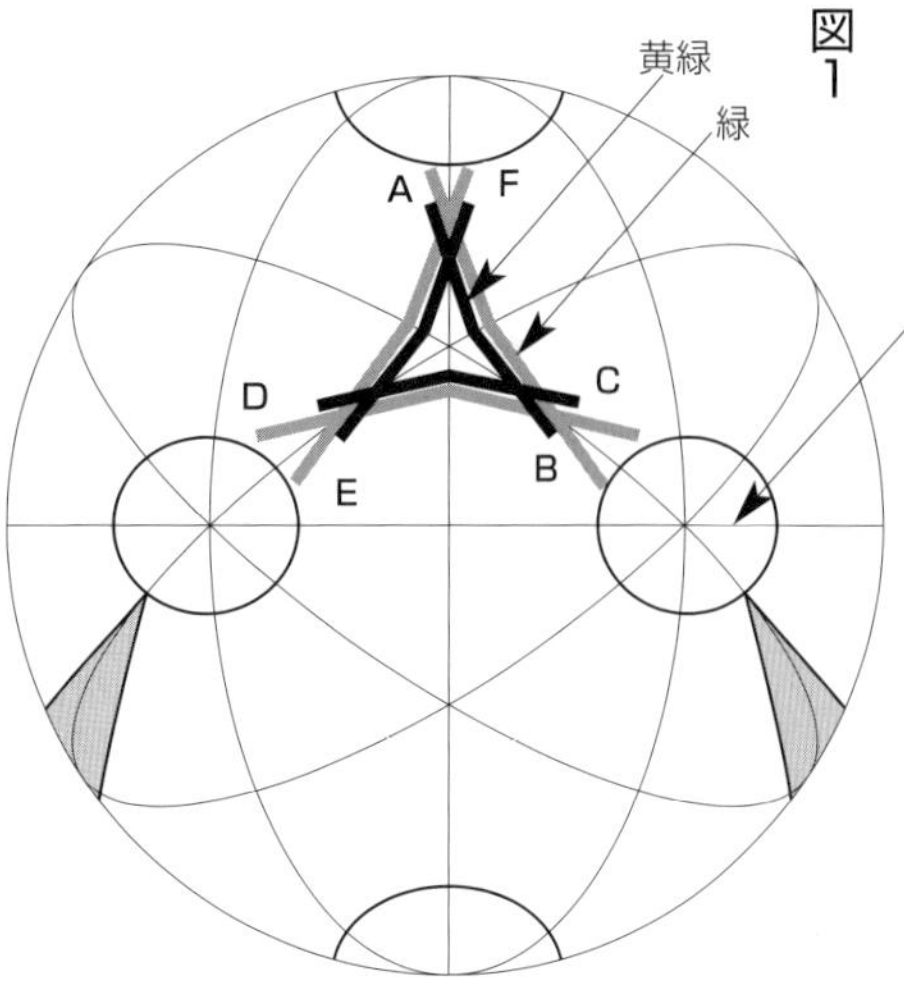

図2

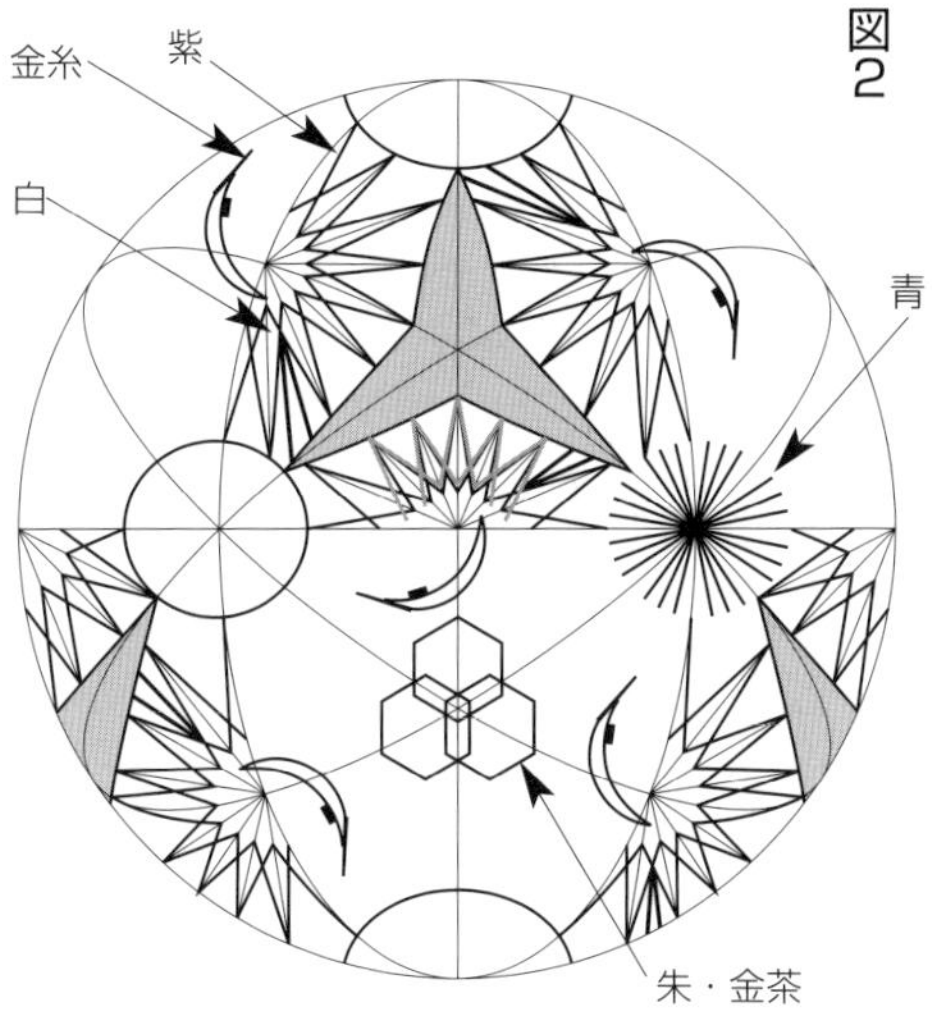

を茶2本どりで2本添えます。

⑥　赤道には大きな鶴を5羽かがります。

⑦　鶴は全部北極に向かってかがります。

松下　由美子

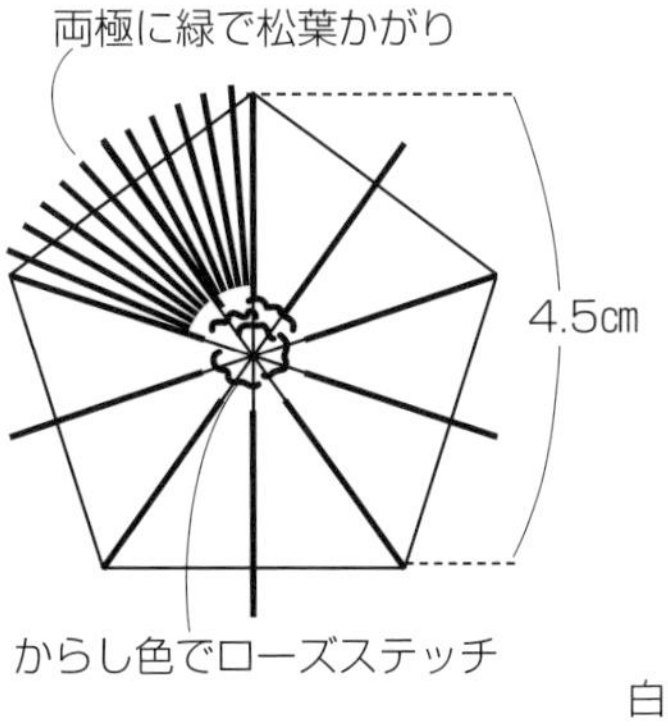

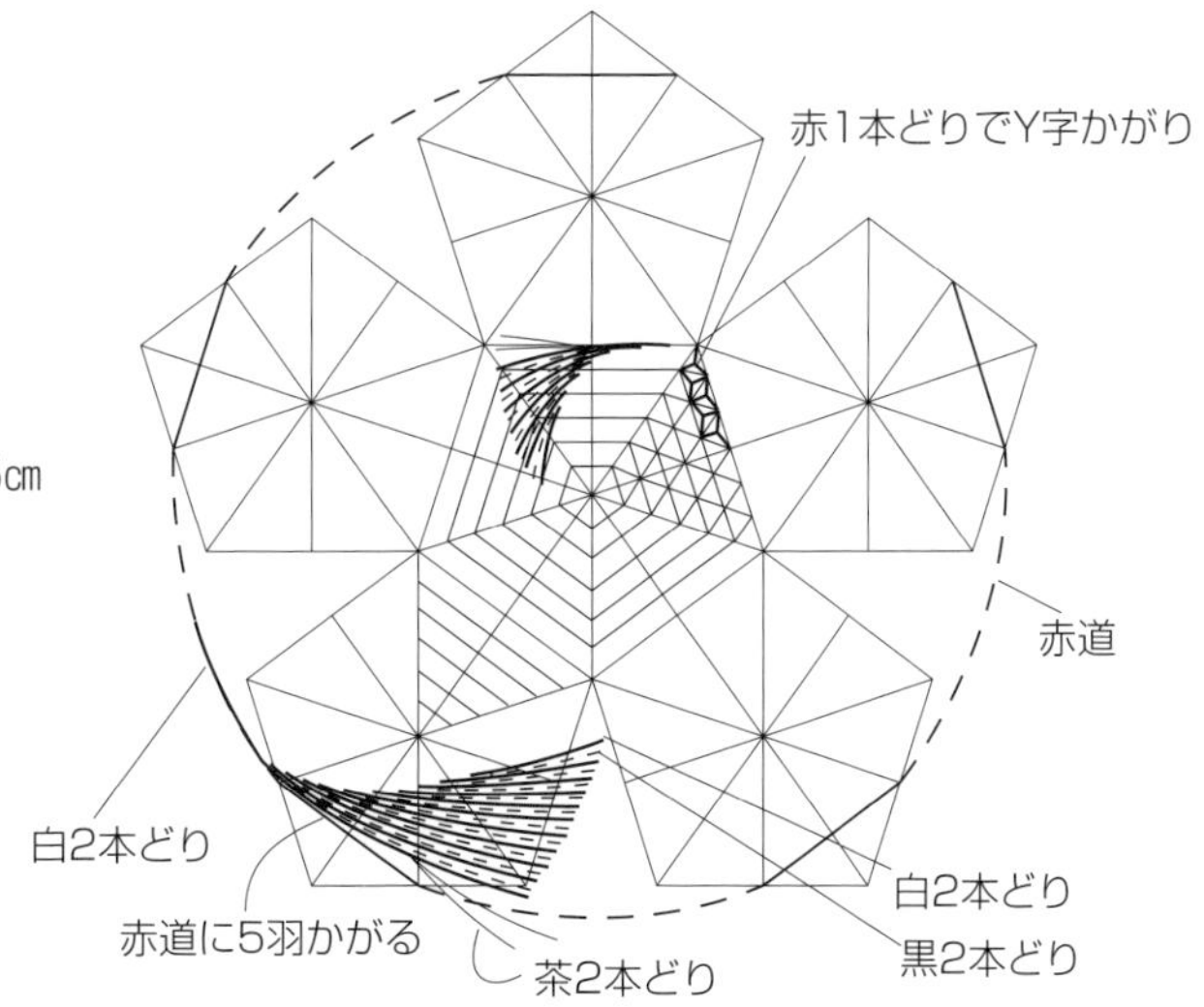

⑤　④の上に赤で2段、赤ラメ糸を1段かがります。

⑥　⑤の上に白2段、金ラメ糸1段をかがり、かがり始めの上を金ラメ糸で、アウトラインステッチをします。

⑦　中心の黒の羽根まで、白4段、金ラメ糸1段で下より重ねてかがり、後首、頭を白、前首を黒のアウトラインステッチでかがり、目を黒、冠を赤ラメ糸で、嘴を金ラメ糸2本、白1本でかがり、梅の枝をくわえさせます。

⑧　竹の葉を薄緑3段、白1段でかがり、松を緑と細金ラメ糸で、枝は茶でかがります。

谷　キヨ子

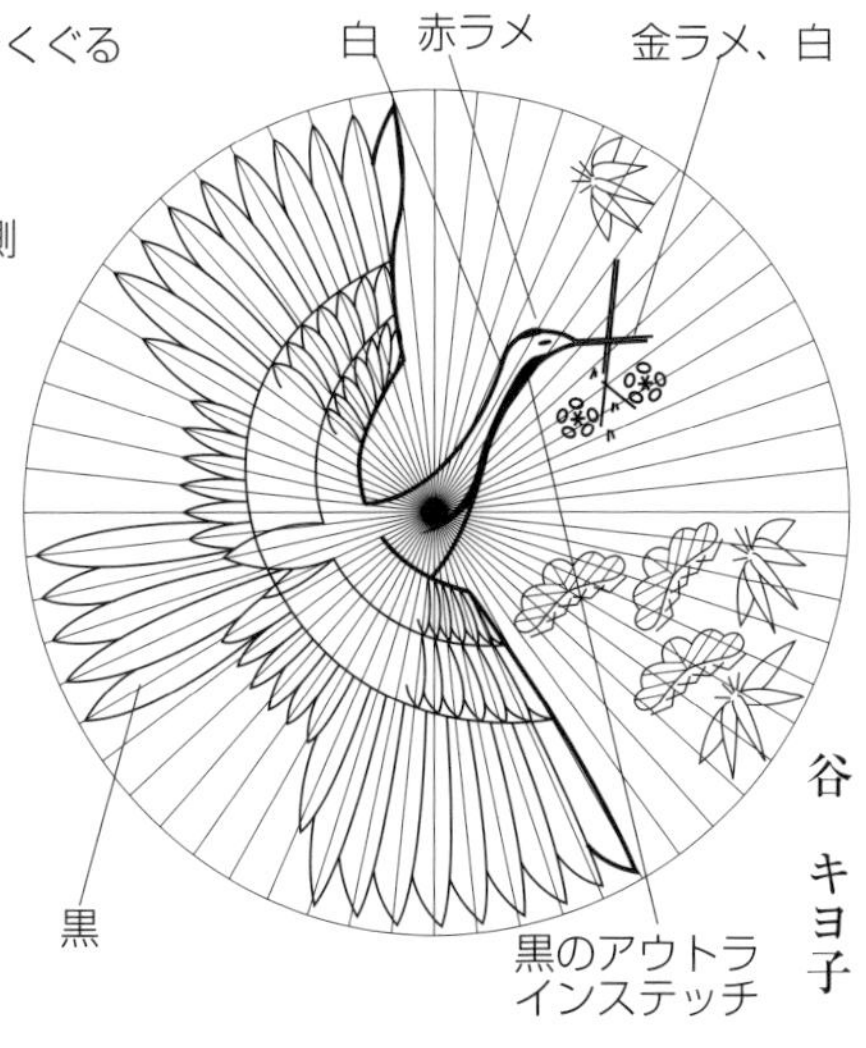

クリオネ　8等分の組み合わせ

■中級　口絵29ページ

■材料

土台まり　円周27.5㎝
地巻き糸　青地巻き糸
地割り糸　青糸
かがり糸　光沢のあるリボン糸(2㎜幅)　シルクパールのオレンジ(5番刺繍糸代用)　30番絹ミシン糸の青　青色のビーズ

① 小さい三角の中心点からそれぞれの地割り線に向かい平行に巻いていきます。(中心点の見つけ方は図1参照)

② 白は赤道上にある四角の長い線に向かって平行に沿って巻きます。それぞれの両側より一巻きします。(図2・A)

③ オレンジで北極のある四角の長い線に向かって平行に沿って巻きます。それぞれの両側より二巻きします。(図2・B)

④ 青で四角の短い線に向かって平行に沿っ

明快な色の調和　8等分の組み合わせ

■中級　口絵27ページ

■材料

土台まり　円周25.5㎝
地巻き糸　白地巻き糸
地割り糸　金糸
かがり糸　5番刺繍糸　白　黒　赤　黄

① 菱形4等分の短い線を10等分し、外側の1/10より大きい三角形を外側に南極周りを各1段ずつ、北極側を各1段ずつ中心が埋まるまでかがります。(図1、2)

② ①の要領で、菱形4等分の短い線を5等分し、外側の2/5より外側に大きい三角を1段かがります。かがったすぐ下を図4の赤、黒線のように1段かがります。同様にして大きい三角、赤、黒を各1段の四角を菱形の中心で囲むまでかがります。(図4、5)

③ 三角6等分に三角形をかがります。その周りが黒の場合には大きな赤をかがり、内側

スノーフレークスター　32面体

■上級　口絵26ページ

■材料

土台まり　円周36㎝
地巻き糸　紺地巻き糸
地割り糸　銀糸
かがり糸　5番刺繍糸　薄青　薄緑　25番刺繍糸　濃紺(6本束)

① 五角の長い線の中心より3㎜の地点をジグザグに薄青で結びます(図1のA線)。

② 長い線の残りを4等分し同様に結びます(図1のB線)。

③ 大きい菱を薄緑で線内側をかがります。五角の中心際は角より3㎜空け、残りの2か所の角は際をかがります(図2のC線)。五角の中心際の薄青と交差するときは下にくぐらせます。

④ 濃紺(6本束)を撚らないようにして、薄緑の菱の外側を埋めます。五角形の中心際の

て、それぞれの両側より八巻きします。（図2・C）

⑤ 巻き終わったら青色のビーズで目をつけます。

デボラ イー アボル

図1

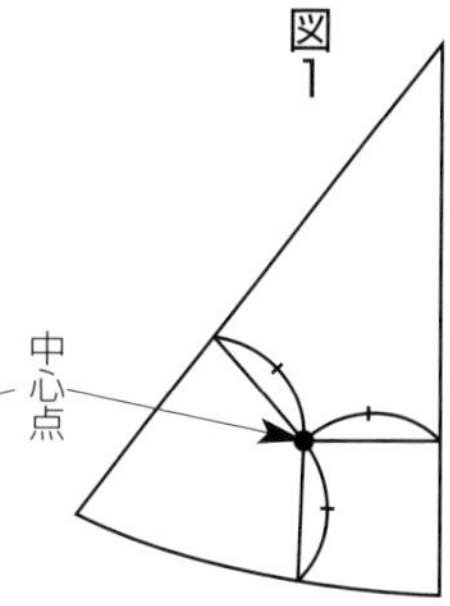

図2

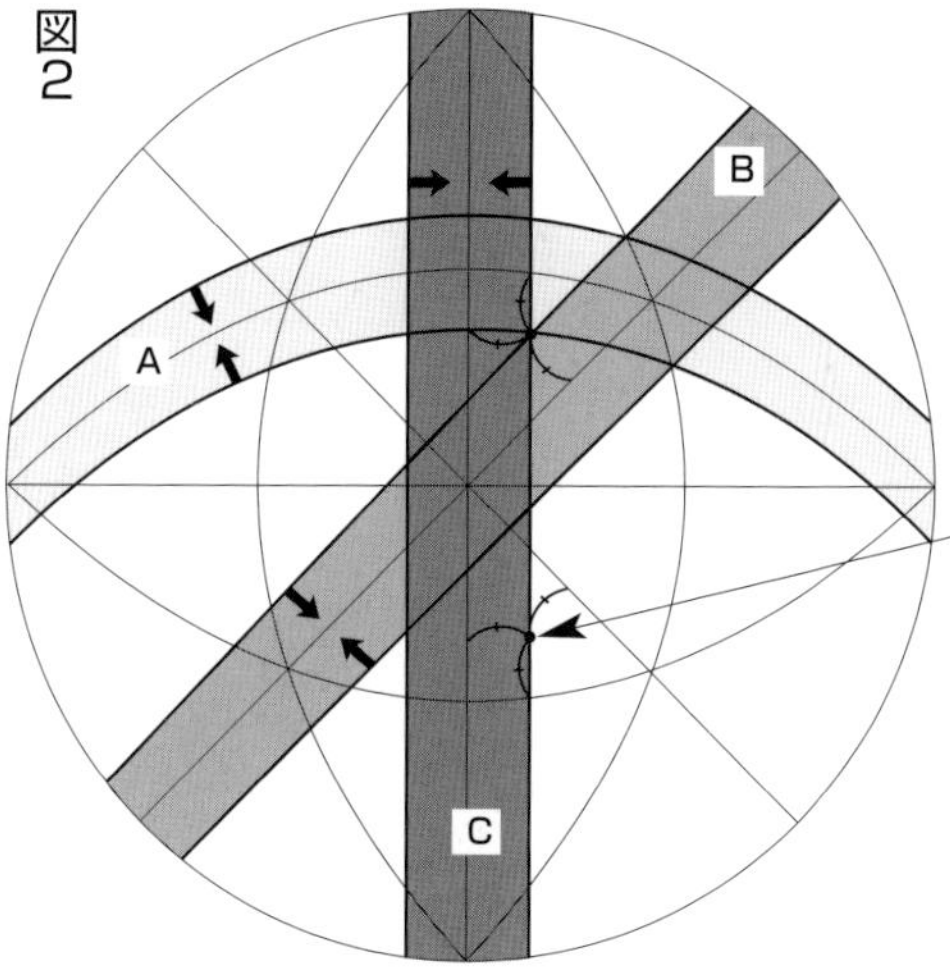

に小さい三角をかがります。周りが赤の場合にはその反対をかがります。

④ 周りを黄色で巻きかがりします。

キャサリン ヘウイ

図1

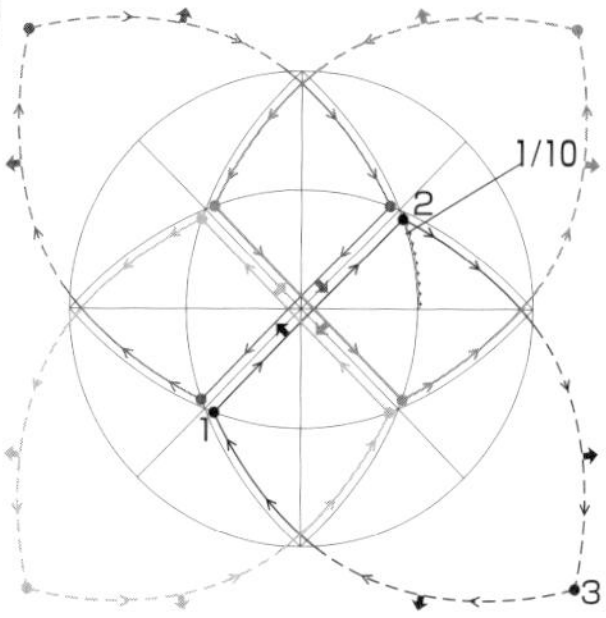

図2

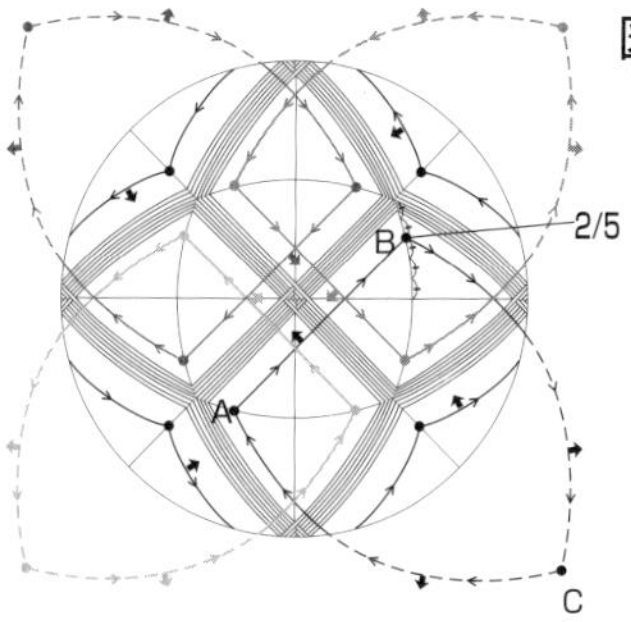

図3

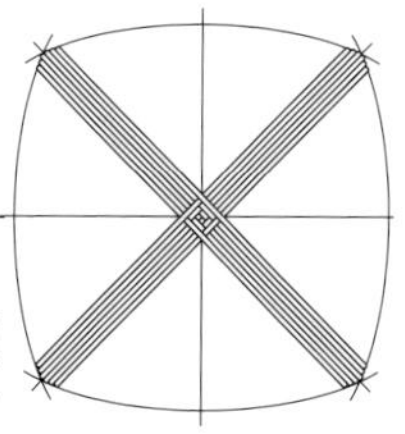

図4

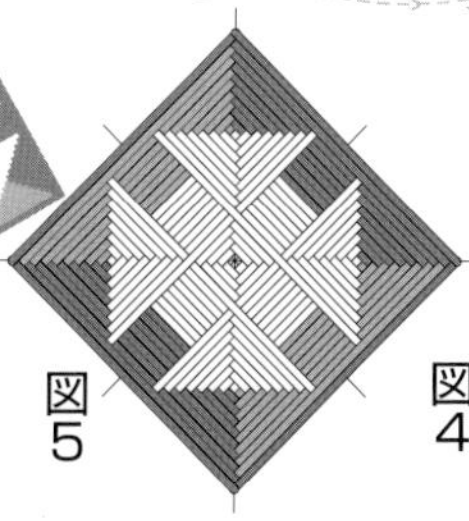

図5

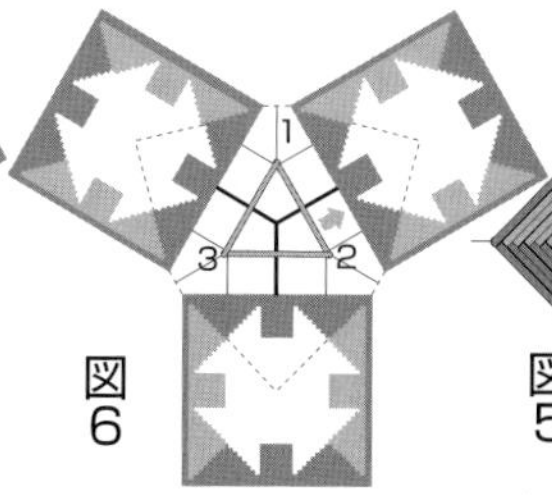

図6

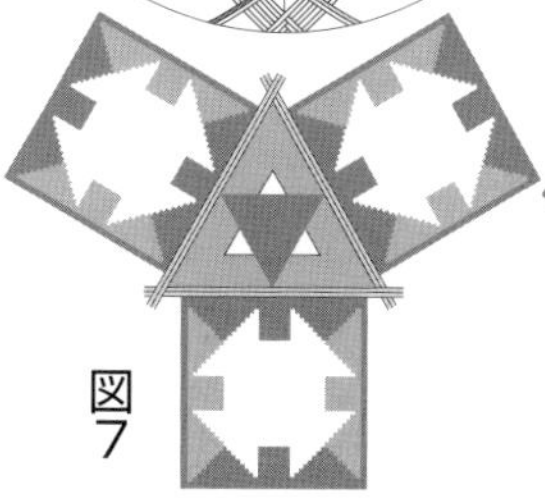

図7

糸の下を通ります。（図2）

⑤ 濃紺で図2のように、薄緑の菱の辺と中心を①のA線の下を沿ってかがります。菱の中心では下にくぐらせます。

⑥ 薄緑と銀糸を同時に使い、薄緑の菱の内側の小さい菱部分に松葉かがりを薄青の間に刺します。（図2）

デボラ イー アボル

図1

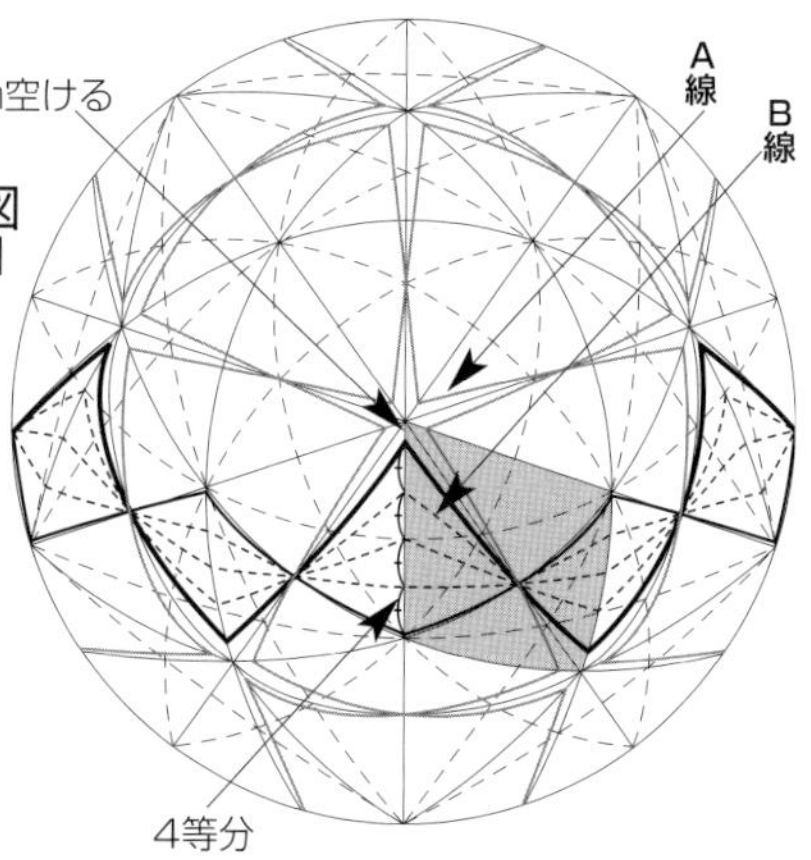

図2

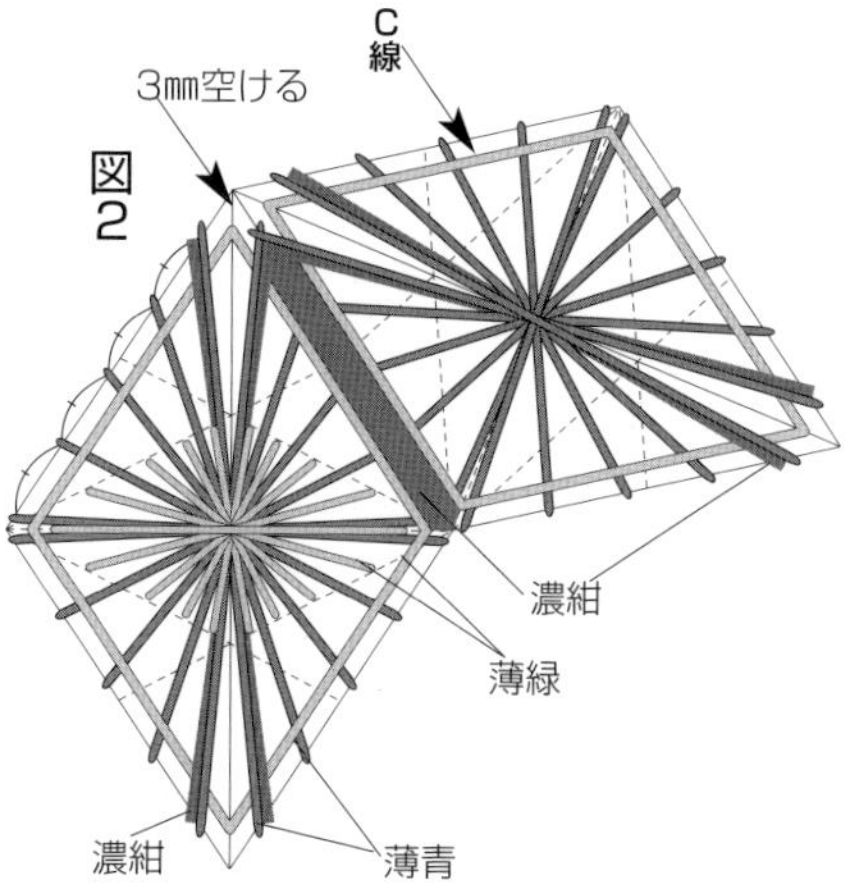

菊と扇　10等分の組み合わせ

■上級
口絵28ページ

■材料

土台まり　円周34cm
地巻き糸　黄褐色地巻き糸
地割り糸　細金糸
かがり糸　5番刺繍糸　白　赤　黒

① 図1より三角6等分の短い線を境に集まる3個ずつの凧形を上下に確認します。その間を帯とします。(図1)

② 帯をかがります。

a. 縁取り…帯の上下の地割り線上に金糸を1段、その両側に赤1段、白1段、金糸1段をかがります。そして帯部分の菱形を同じストライプ模様で個々に分けます。(図2)

b. 菱形…赤で図2の位置に菱形をかがります。(図2)

c. 扇…残りの菱形部分に扇をストレートステッチで図3のようにかがります。

星いっぱいの模様　10等分の組み合わせ

■上級
口絵28ページ

■材料

土台まり　円周25cm
地巻き糸　濃赤地巻き糸
地割り糸　金糸
かがり糸　25番刺繍糸2本どり　黄　緑(濃・薄・中薄)　白　ピンク(濃・薄・中薄)　中薄緑（80番レース糸2本どり）

10等分の組み合わせに補助線を足します。北極と南極のある五角10等分の長い線の1/3と菱4等分の中心を金糸で結び星形を作ります。(図1)さらに次の1/3をピンクの糸に替えて小さい星形を足します。(図2)周りの五角10等分は最初の1/3地点を五角形に糸をピンクに替えて補助線を足します。

① 両極の中心に緑で小さい星を入れます。補助線の小さい星形の長い線の1/2と中心際を黄、薄、中薄、濃緑で星を入れます。

ブルースパイラル　10等分の組み合わせ

■上級
口絵26ページ

■材料

土台まり　円周25.5cm
地巻き糸　紺地巻き糸
地割り糸　緑糸
かがり糸　5番刺繍糸　白　黄(25番刺繍糸)　紺　黒

① 五角10等分に星形ができるように補助線を黄色で入れ、中心部に五角形を白3段、黄4段入れて埋めます。(図1)

② 北極の周りにできた六角形に黄と青のスパイラル模様を入れます。南極側も同様にします。(図1)

③ スパイラルと五角形の周りを黒3段、黄1段で囲みます。南極側も同様にします。(図2)

④ 赤道周りの空白部分に図2のように補助線を足して、模様を入れます。

シャルレイ ステハーソン

③ 菊…図４のように３個の凧形を合わせ、補助線(図４の点線)を足して上掛け千鳥をかがります。
図４の細い線部分…中心際と外側より１㎝を結んだ上掛け千鳥をかがります。

図４の薄い線部分…中心より１㎝地点と外側より１㎝を結んだ掛け千鳥をかがります。

配色…白、黒、白、黒、白を１段ずつ、図４の太い線部分に赤と金糸で各１段かがります。

バーバラ スージー

図１

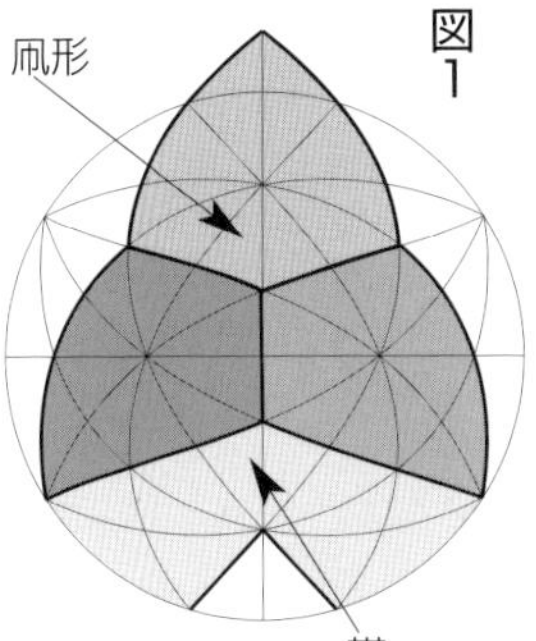

図４

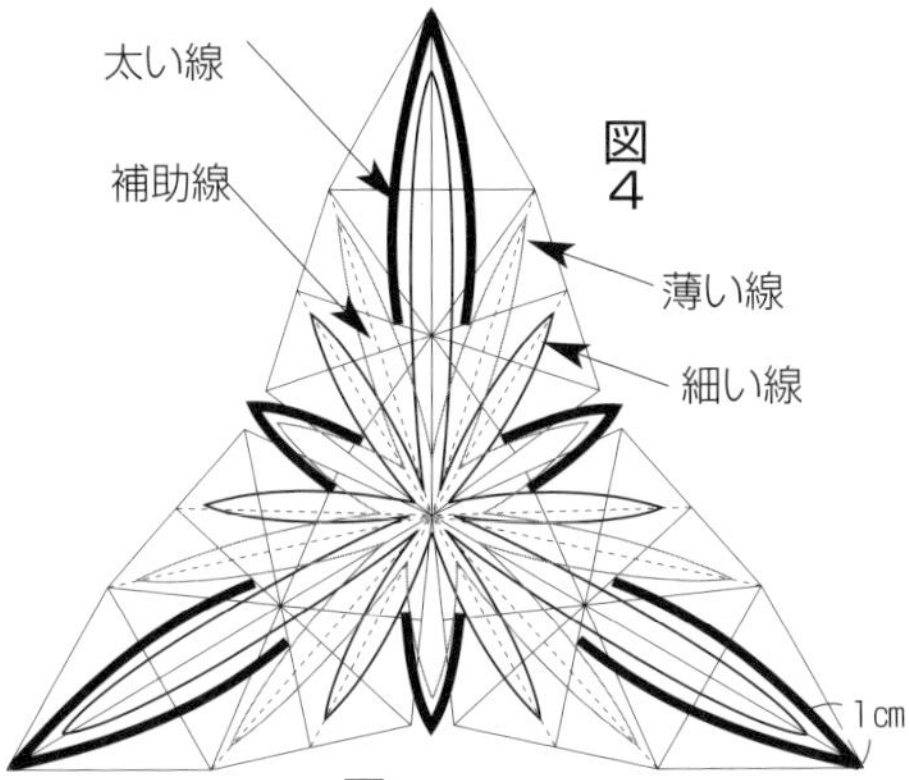

図３

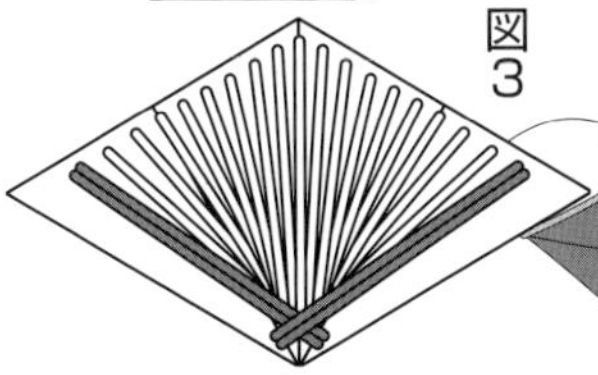

図２

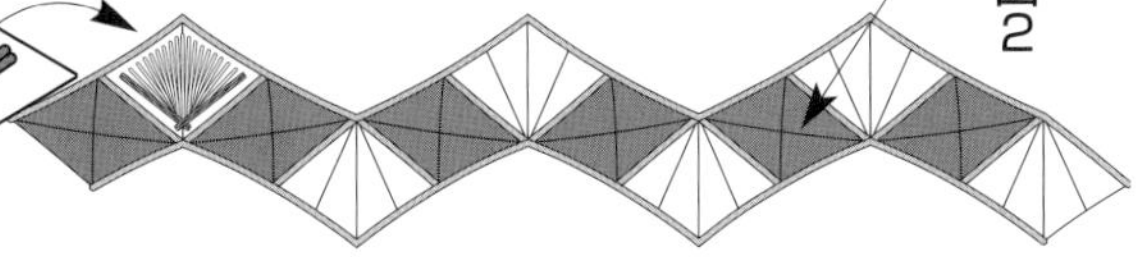

② ①の上に星を足します。図1のA・Eです。Aは中心際、Bは1/3、Cは上下の交差点の1/2を取ります。Eへ戻ったら隣りへ移り一回りします。配色は白、薄ピンク、濃ピンクです。南極側も同様にします。
③ 残りの五角形に星を入れます。中心際と小さい五角の角と大きい五角の辺までをつなぎます。隣り合う五角はねじりかがりします。
④ 両極の周りの六角形がある空白部分に白で千鳥かがりを入れます。地割り線の間を黄色で３等分します。白糸に替えピンクの星の角を取った地割り線より始めます。六角の中心より５㎜とピンクの糸の際を結び一回りします。残った線はそれぞれの1/2です。
⑤ 残りの六角形のある空白部分に緑のレース糸２本どりで図４のように模様を入れます。長い線の延長にある角より始め、長い線の両側に５本ずつ入れます。糸が重なるときは交差させます。

シャルレイ ステハーソン

図１

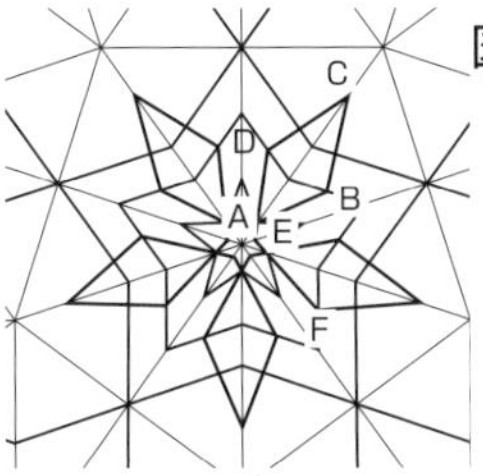

図３

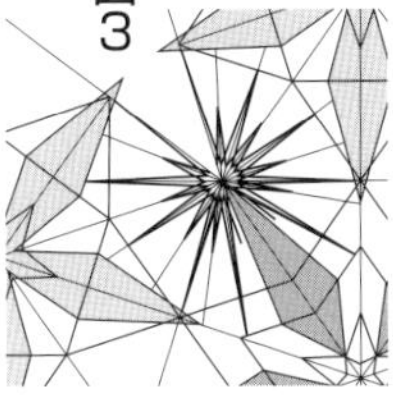

図２

図４

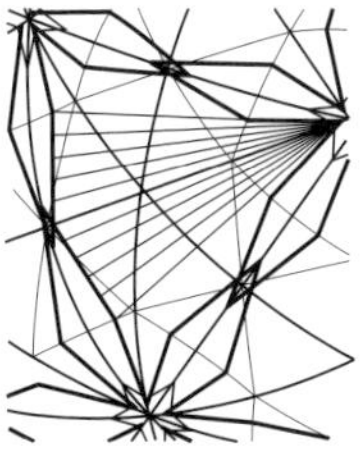

図１

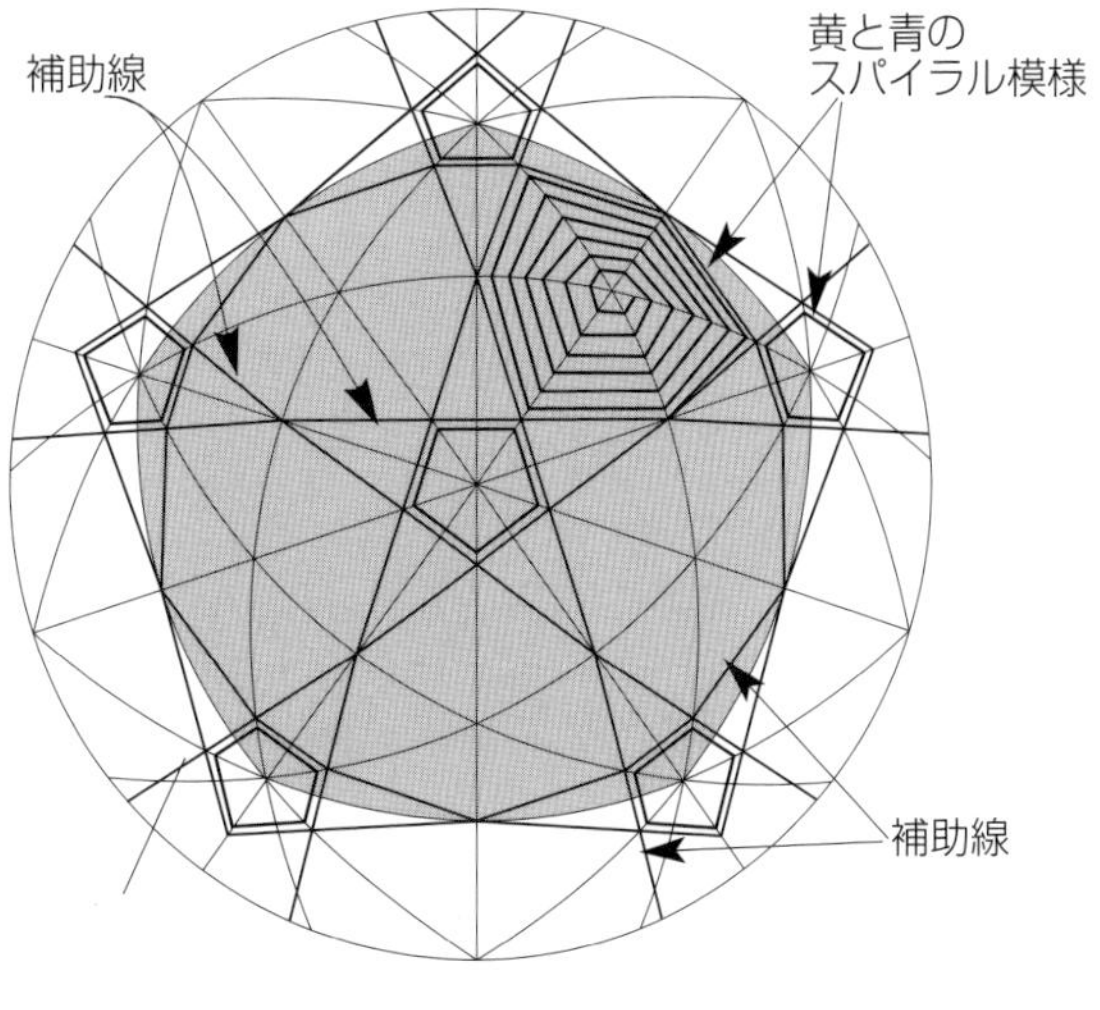

図２

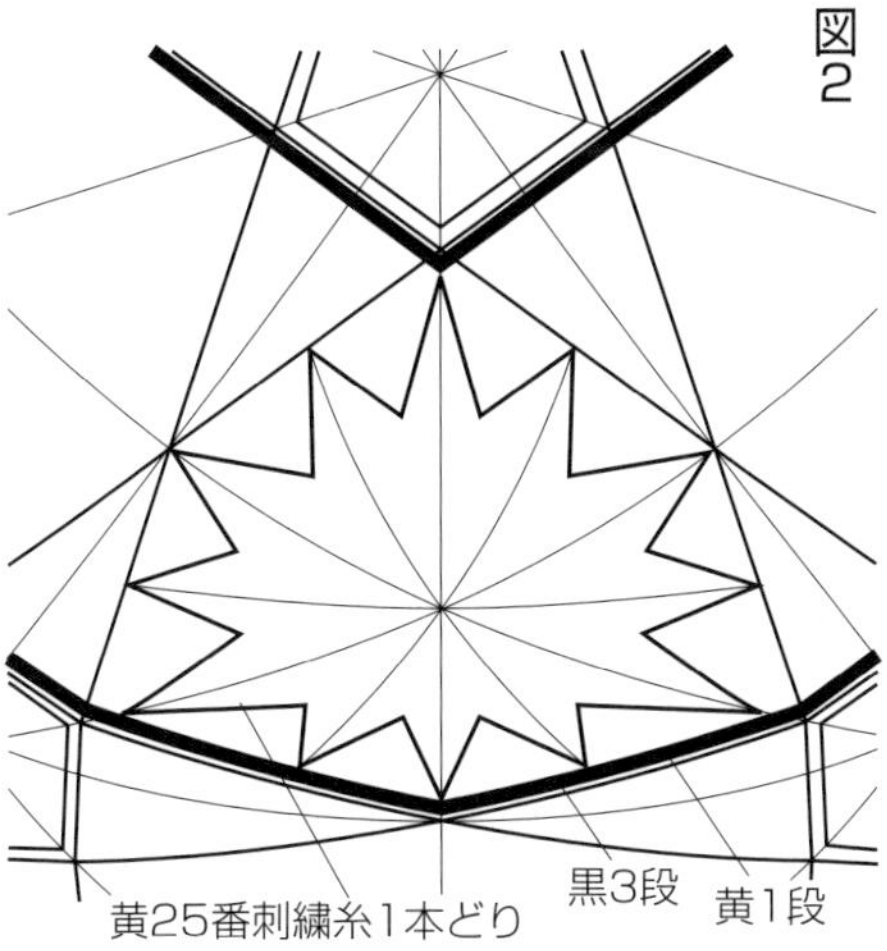

風の中の風車　10等分の組み合わせ　■上級

口絵28ページ

■材料

土台まり　円周35cm
地巻き糸　白地巻き糸
地割り糸　銀糸
かがり糸　5番刺繍糸　赤　黄　緑　青　紫　黒

① 三角6等分の中心より変形三つ羽根亀甲をかがります。
② 図2の3、7、11（先端部分）は菱形4等分の長い線の1/2、残りのかがり始めは交差点際を取ります。亀甲部分も中心際より始め、空白ができないようにかがります。
③ 先端部分が五角10等分の中心に達するように、それぞれの色を4段かがり、最後に黒1段かがります。各色は4色ずつになります。
④ 図3のように銀糸で風を表すロングステッチをかがります。

アンヌ ウイマー

南極の花　4等分　■上級

口絵7ページ

■材料

土台まり　円周31cm
地巻き糸　茶地巻き糸
地割り糸　細金ラメ糸
かがり糸　京てまり糸1本どり　薄オレンジ　オレンジ　緑　薄緑　紫　薄茶　藤　紺　白　紺ラメ糸　藤ラメ糸　細ラメ糸

① 細金ラメ糸で4等分（赤道あり）の地割りをします。
② 両極と赤道の極より1/3を結び、四角を両極に入れます。
③ 北極の四角の角より両極の四角の角まで薄オレンジ1段、白1段、紫1段を両側にかがり、上を藤ラメ糸で千鳥かがりで止めます。
④ ③でできた紡錘型を8等分し、細ラメ糸で補助線を入れ、紡錘型を薄茶2段、藤2段、薄緑2段、紺2段、紺ラメ糸1段を交互にか

蝶　10等分の組み合わせ　■上級

口絵16ページ

■材料

土台まり　円周26.5cm
地巻き糸　黒地巻き糸
地割り糸　しつけ糸
かがり糸　5番刺繍糸　クリーム　白　水色　青　薄緑　緑　茶　藤　紫　ピンク　濃ピンク　金ラメ糸

① しつけ糸で10等分の組み合わせの地割りをします。
② 三角6等分4個を1組として、4組作ります。
③ 中心の三角を中心として、外回りの一辺を3等分し、18等分の補助線を入れます。
④ 外回りより1/3の中心から0.5cm離して、上掛けで白1段、クリーム2段かがります。
⑤ 4段目より交差した糸を全部すくって水色2段、青2段、白1段かがりますが、上下

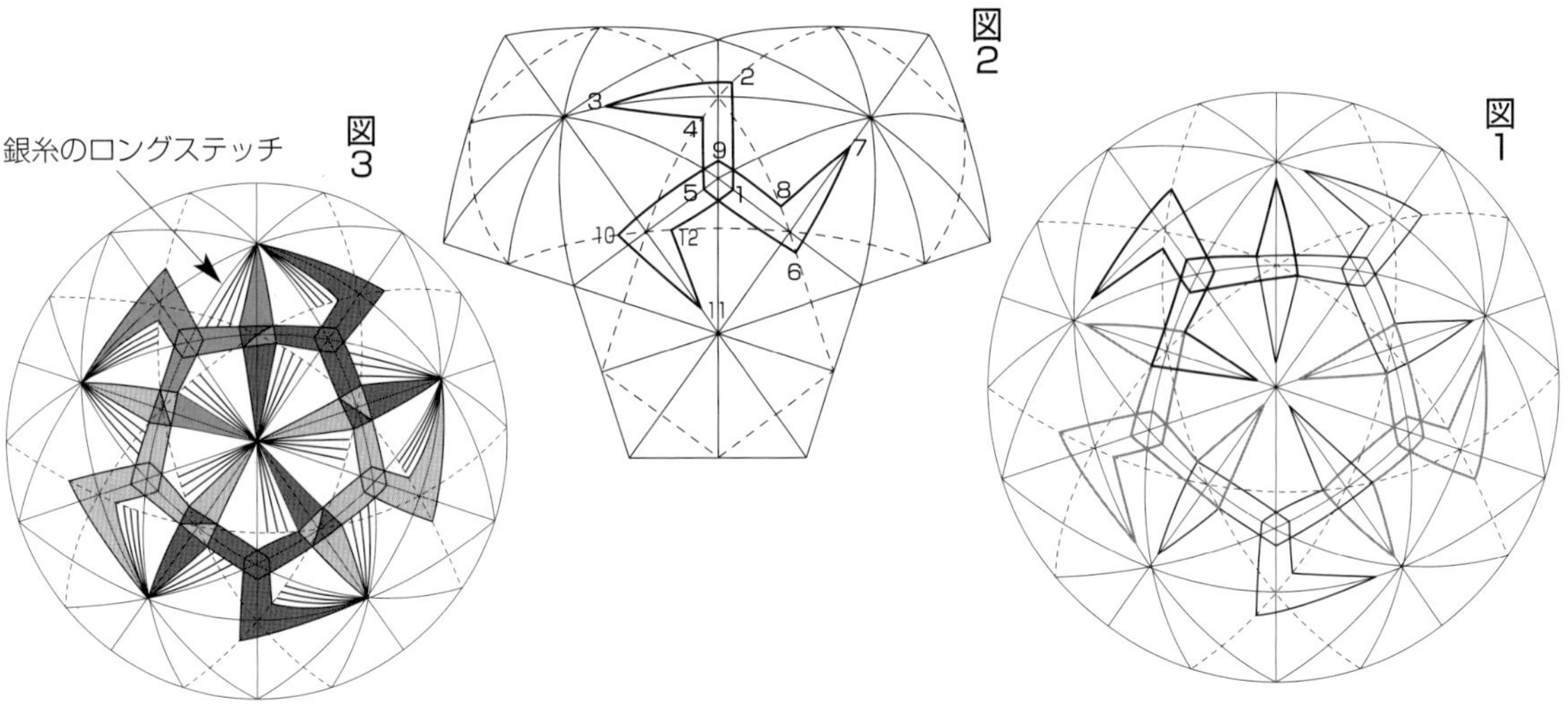

がり、向かい合わせに2か所かがり、間に2か所紺ラメ糸で松葉を入れます。

⑤残り2か所の紡錘型を6等分し、大きな紡錘型は緑6段、紫2段、小さい紡錘型は緑3段、紫2段をかがります。

⑥　紡錘型の間に上下の四角の角と赤道の間を2等分し、薄オレンジ4段、オレンジ2段の上掛けの花を入れ、間に薄オレンジ、オレンジで1本ずつ松葉かがりをして、中心を止めます。

⑦　上下の四角の角2か所より細ラメ糸2本どりで、5本上からのせ、四角の角2か所を紫で止めます。

斉藤　紀子

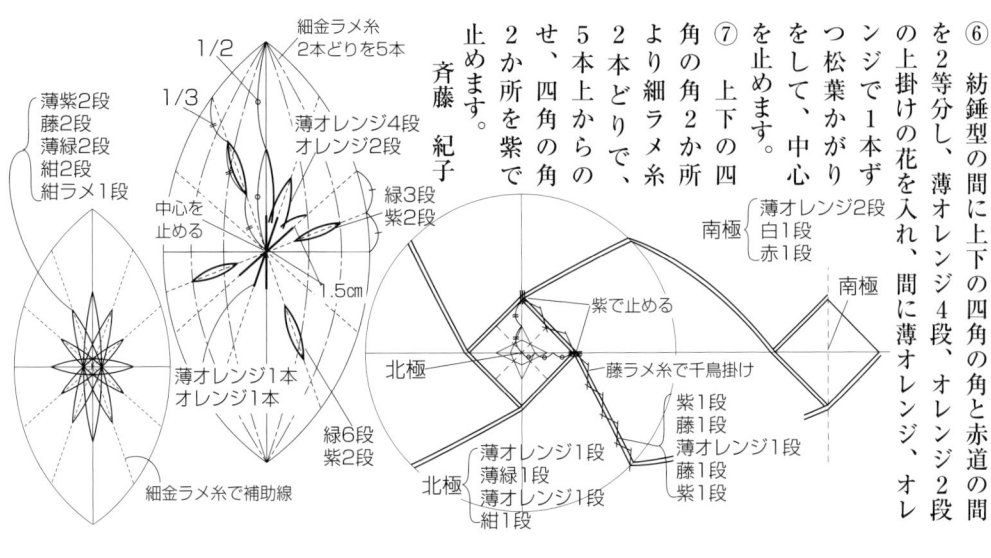

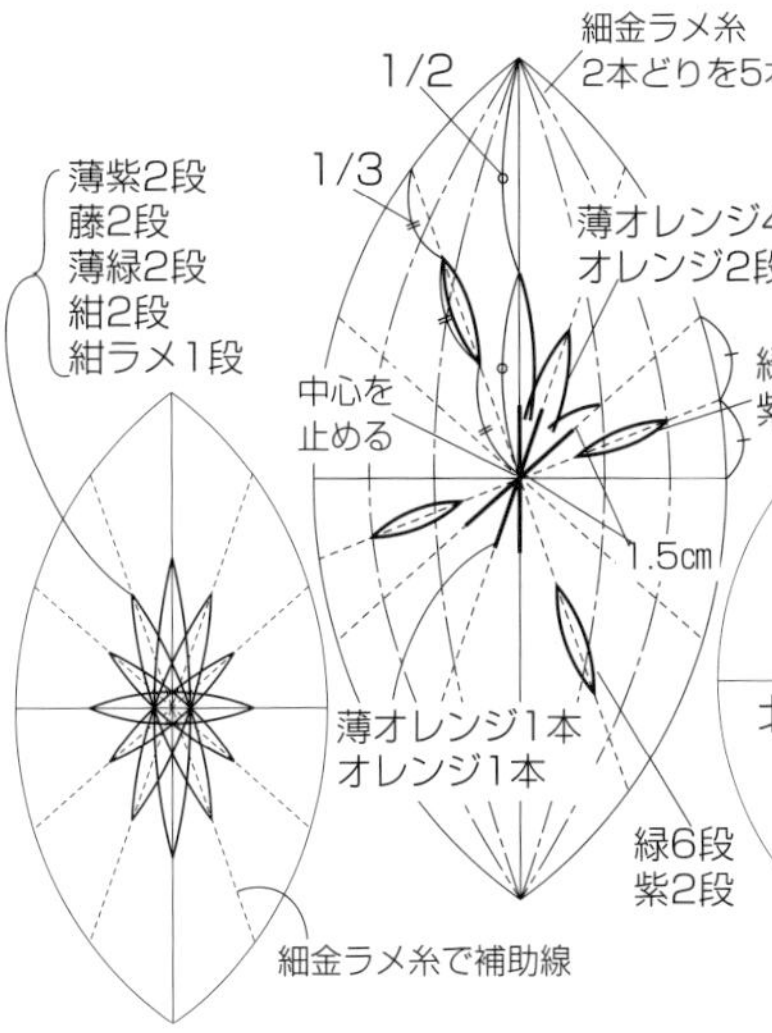

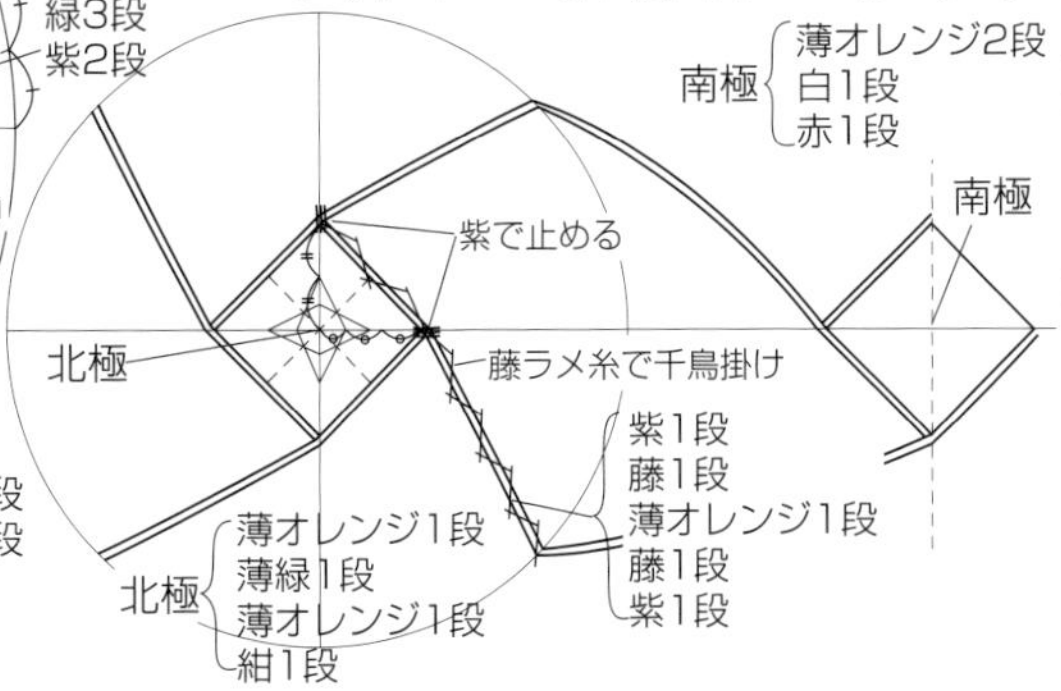

中心は④のみにします。

⑥　金ラメ糸で触角を入れ、触角の先をフレンチナッツステッチでかがります。

⑦　4羽をそれぞれ色を替えてかがり、地割り糸を取ります。

谷川　文代

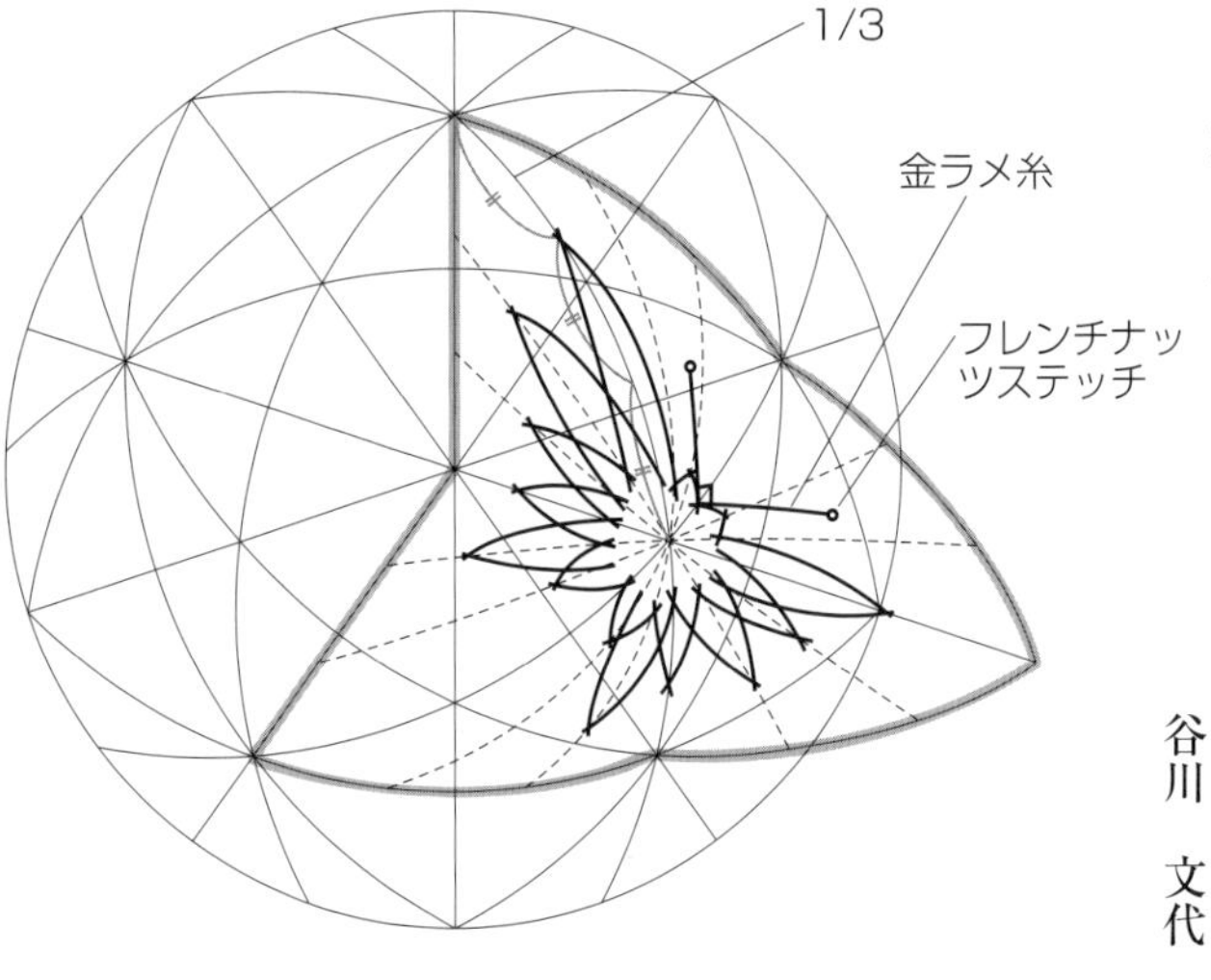

ピンクの蝶

色	段数
白	1
クリーム	2
ピンク	2
濃ピンク	2
白	1

水色の蝶

色	段数
白	1
クリーム	2
水	2
青	2
白	1

緑の蝶

色	段数
白	1
クリーム	2
薄緑	2
緑	2
白	1

紫の蝶

色	段数
白	1
クリーム	2
藤	2
紫	2
白	1

変わり麻　10等分の組み合わせ ■上級

口絵18ページ

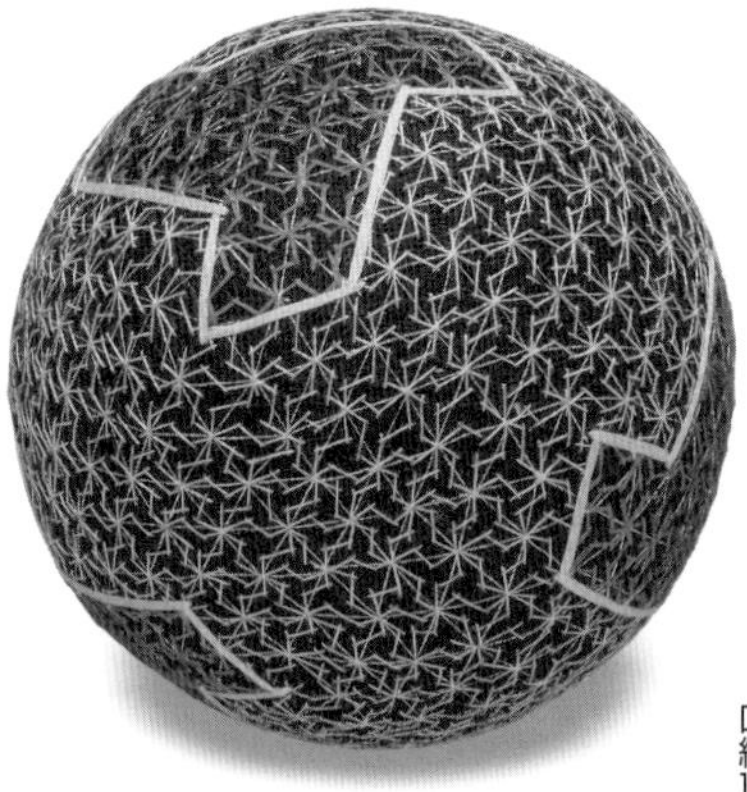

■材料

土台まり　円周44㎝
地巻き糸　黒地巻き糸
地割り糸　黒ラメ糸　細銀ラメ糸
かがり糸　25番刺繍糸　白　濃ピンク　赤　しつけ糸

① 黒ラメ糸で10等分の組み合わせの地割りをします。
② 五角10等分の短い線を4等分して、五角の中に16個の小さい三角を細銀ラメ糸で作ります(162面体)。
③ 五角10等分の中心3か所を使って図1のように周りをしつけ糸でかがります。
④ 2本どりで③の三角の中心から濃ピンクでかがっていき、外回りは赤になるようにします。
⑤ 細銀でできた小さな三角に白1本どり

晩秋の菊　10等分の組み合わせ ■上級

口絵31ページ

■材料

土台まり　円周34㎝
地巻き糸　薄茶地巻き糸
地割り糸　25番刺繍糸2本どり
かがり糸　25番刺繍糸1～3本どり　緑　紺　ピンク　空色　からし

① 紺2本どりで10等分の組み合わせの地割りをします。
② さらに鵜かご地割り(五角10等分の短い線を3等分する)をし、さらに1/2に細かく割っていきます。
③ ②でできた三角に紺1本どりでY字をかがり、麻の葉模様にします。
④ 両極と赤道を決め、4等分の組み合わせをからし色2本どりで入れます。
⑤ ④の交点の1/2に待ち針を打ち、待ち針で交差させながらつむ型を十字になるようにか

亀甲松竹梅　10等分の組み合わせ ■上級

口絵4ページ

■材料

土台まり　円周46.5㎝
地巻き糸　赤地巻き糸
地割り糸　細金ラメ糸
かがり糸　京てまり糸　白　ピンク　空色　藤　濃緑　緑　草色　黄　茶　薄黄　紺　金ラメ糸

① 細金ラメ糸で10等分の組み合わせの地割りをします。
② 五角と六角の各辺が同じになるように五角12個、六角20個にする補助線を入れます。
③ 五角の長い線の1/2より、金ラメ糸1段、草5段を4か所に入れます。
④ 短い線に向かってV型に草5段、金ラメ糸1段かがります。
⑤ ③の外に金ラメ糸1段、濃緑7段、金ラメ糸1段かがり、中心に黄で花芯とフレンチ

で、三角の一辺を上下の千鳥かがりをします。
(図2)
⑥　中心の糸6本交差するところはまとめます。
⑦　④の周りを白6本どりで輪郭をかがります。
⑧　③のしつけ糸を取ります。

冨田　達

図1

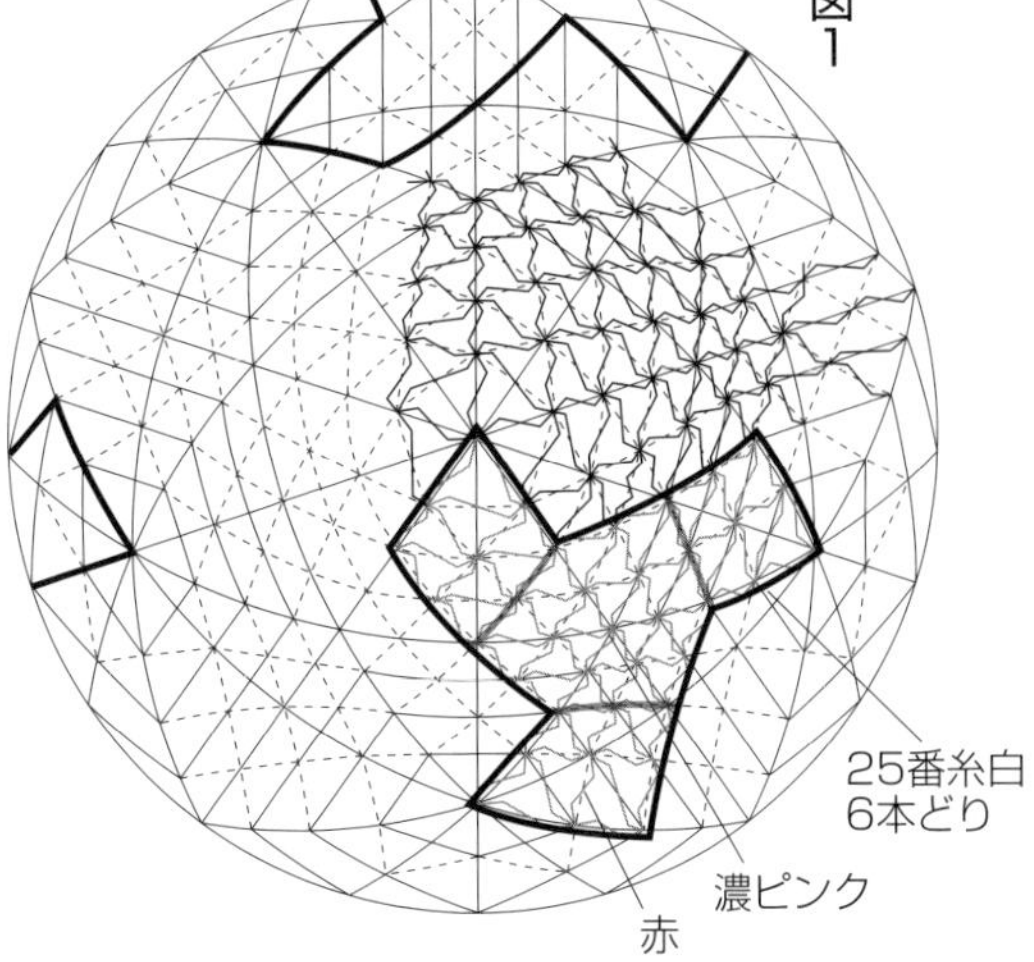

図2

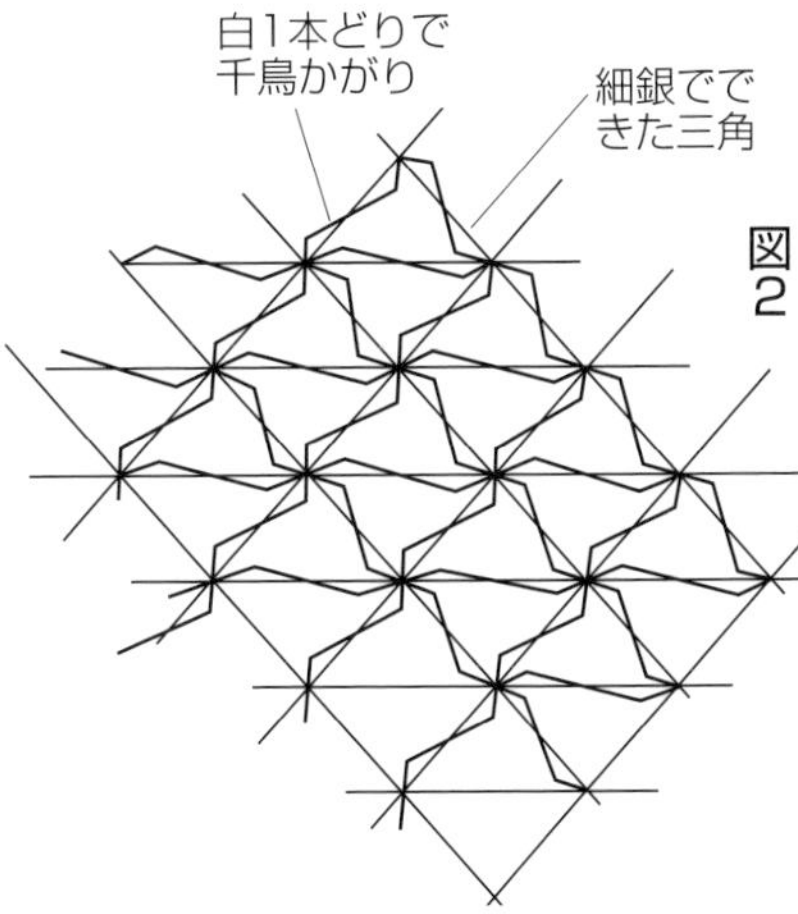

らし色2本どり2回、緑3本どり1回、空色3本どり2回、緑3本どり1回、十字になるように交互にかがります。
⑥　⑤でできた三角の中に上下同じ色の花を一つずつ入れるところ6か所、三つの花を入れるところ2か所に紺1本どりで補助線を入れて、花をかがります。

谷川　文代

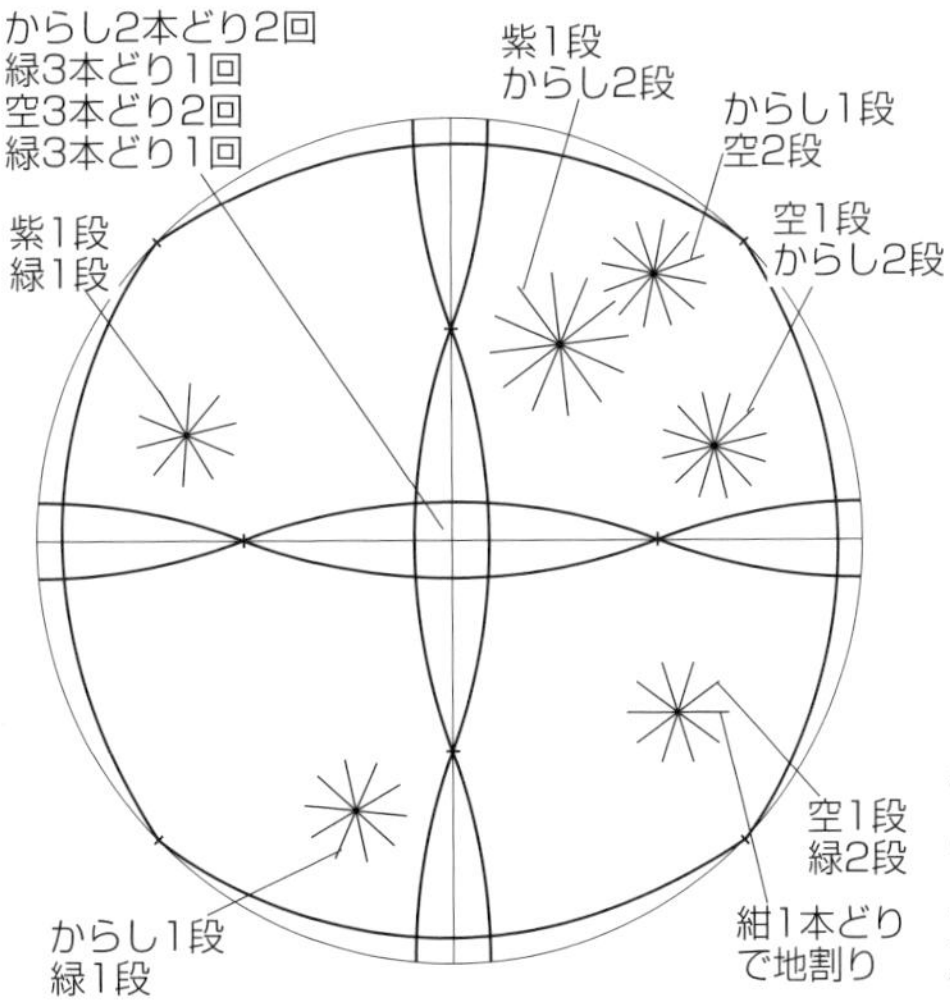

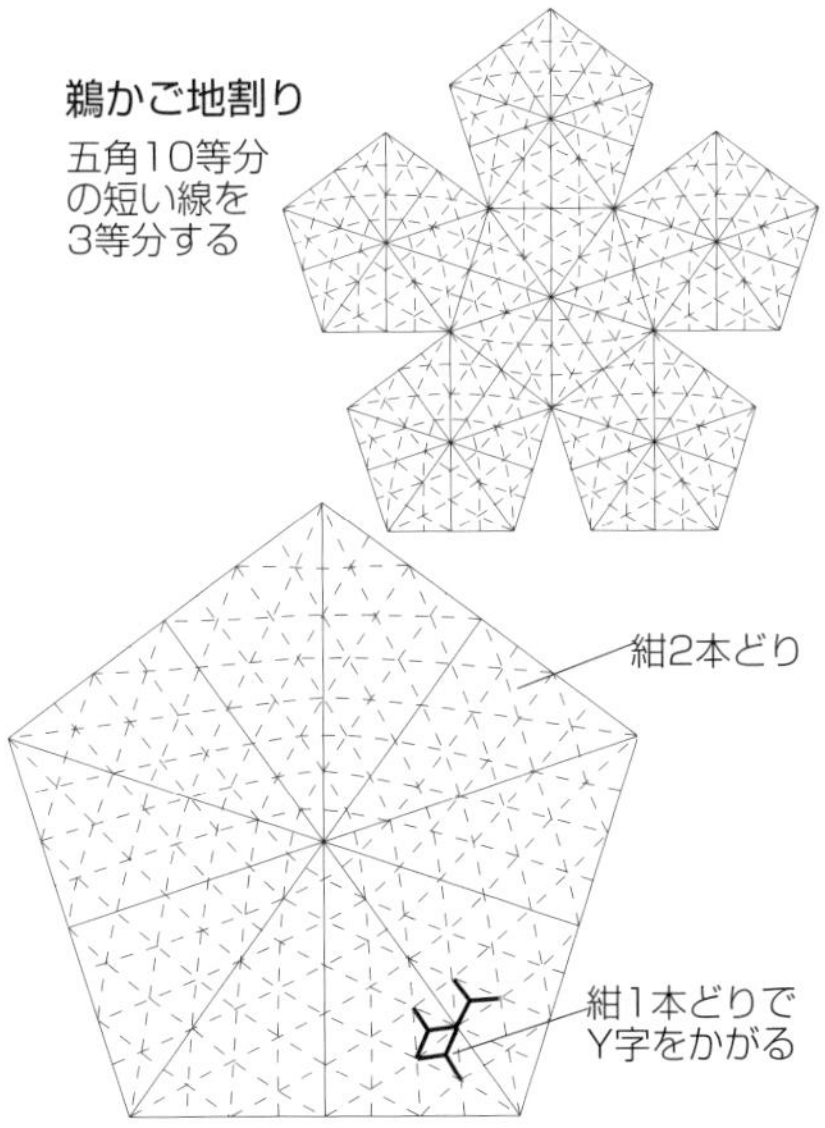

ナッツをかがります。
⑥　松は五角の長い線の外より1/3に金ラメ糸1段、濃緑4段、金ラメ糸1段、濃緑5段、金ラメ糸2段の五角を4か所にかがります。
⑦　五角の中に濃緑、紺、草、緑の松葉を2本ずつかがり、五角の長い線を茶2本でかがり、中心にフレンチナッツ2個かがります。
⑧　残りの4か所に濃緑で3本の竹の葉の芯を入れ、両側を長短をつけて、緑4本で葉の形に中心の葉を最後に上にのせてかがります。
⑨　六角には各辺を13等分し、白とピンク4か所、白と空色4か所、白と藤4か所、白と黄4か所、白と薄黄4か所に3本ずつ交互に篭目を組み、境を金ラメ糸2本で区切ります。

鈴木　あや子

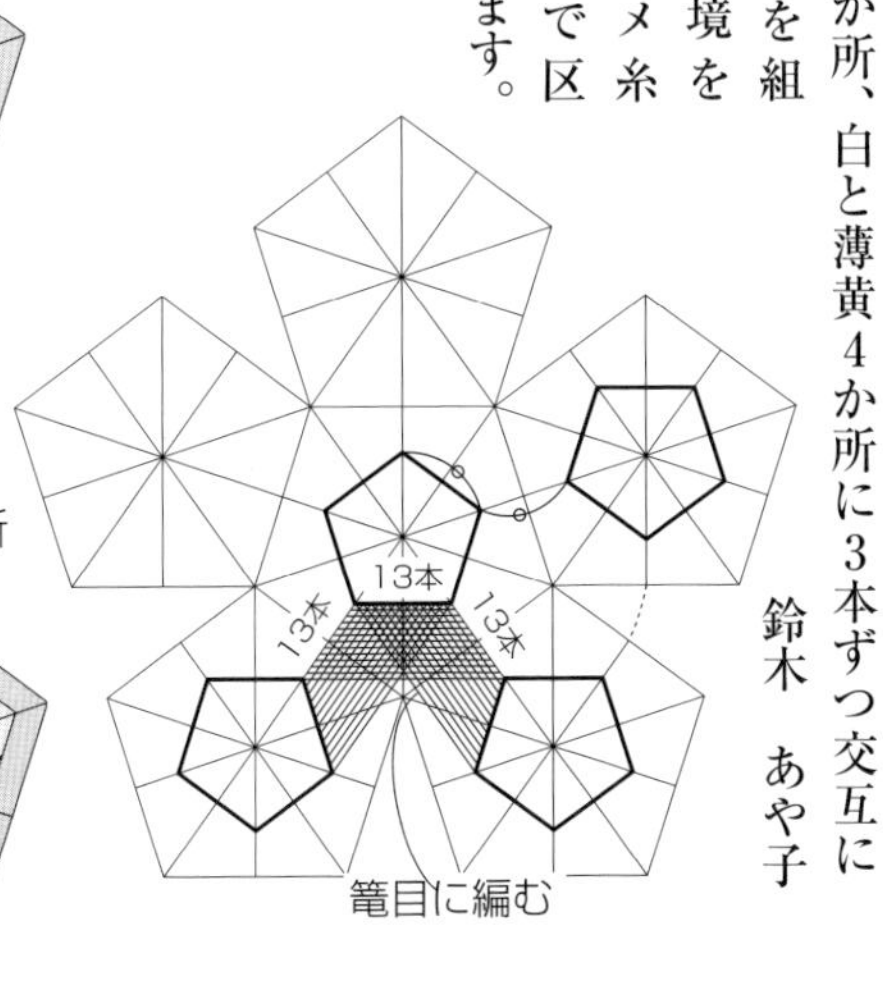

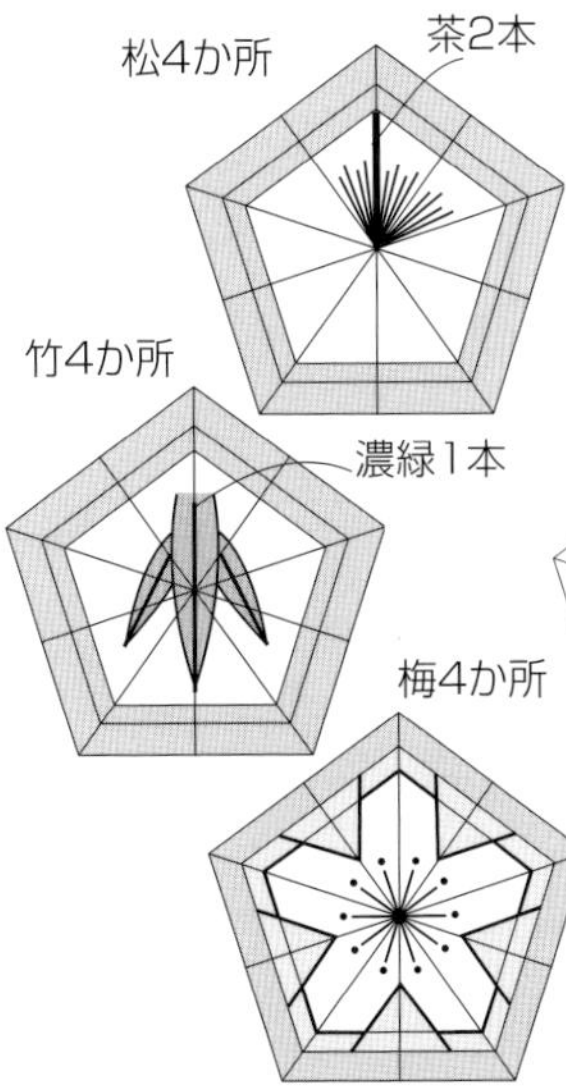

結《ゆい》草《ぐさ》　10等分の組み合わせ　■上級

口絵14ページ

■材料

土台まり　円周42.5cm
地巻き糸　こげ茶地巻き糸
地割り糸　細ラメ糸
かがり糸　5番刺繍糸　赤　黄緑　グレー　青　ピンク　紺　黄　緑　茶　薄黄　白　金ラメ糸

①　細ラメ糸で10等分の組み合わせの地割りをします。
②　さらに菱の長い線を3等分し、三角6等分の中心を通って六角を作り、五角の中心に小さい五角12個、六角20個を作ります。
③　新しくできた五角10等分の長い線の1cm中より短い線に待ち針を打ち、針の外側を通りながら、黄緑で三角の中心まで8段かがります。
④　六角は各色上下同色で、③で待ち針を打

舞いうさぎ　18等分　■上級

口絵8ページ

■材料

土台まり　円周40cm
地巻き糸　黒地巻き糸
地割り糸　紺ラメ糸
かがり糸　京てまり糸1本どり　クリーム　黄　薄茶　白　ピンク　細金糸

①　紺ラメ糸で18等分（赤道あり）の地割りをします。
②　赤道より少しずつ長さに差をつけて、下から上に少なく幅を取り、斜めにも結び、紺ラメ糸で四角をかがります。
③　一つの四角を8等分して、斜めに流すように上掛けの花を入れ、両極まで大きさを変えて9個ずつ6列かがります。
④　花の間に茶で松葉かがりをします。
⑤両極にうさぎを白で3頭ずつ刺繍をします。耳の中と目はピンクでかがり、その周り

七　夕　8等分組み合わせ　■上級

口絵7ページ

■材料

土台まり　円周33cm
地巻き糸　白地巻き糸
地割り糸　細ラメ糸
かがり糸　京てまり糸1本どり　緑濃淡4色　細ラメ糸　金ラメ糸

①　土台まりの白地巻きで仕上げる前に、細ラメ糸を全体に巻き、その上に白地巻き糸で押さえるように巻き、細ラメ糸で8等分の組み合わせの地割りをします。
②　三角6等分の間に長い紡錘型2か所と小さい紡錘型を1か所で3個ずつ交互に11段かがります。
③　紡錘型の外側を緑と細ラメ糸を撚った糸でかがり、紡錘型の先がつき合うところを一針からげて止めます。
④　両極の三角6等分を12等分にする補助線

ったところをねじりながら、8段かがります。

⑤　五角の中に、中心より短い線0.5㎝より、周りの色と同色で星かがりをかがり、その角を通しながら白で3段の花をかがります。

⑥　花の中心に金ラメ糸で六角の角の線に三角を2回重ねて花芯にします。

⑦　六角の中には周りの色と同色で⑥の金ラメ糸をすくいながら1段かがり、白で中心の1段を通しながら4段かがり、花にします。

黒田　幸子

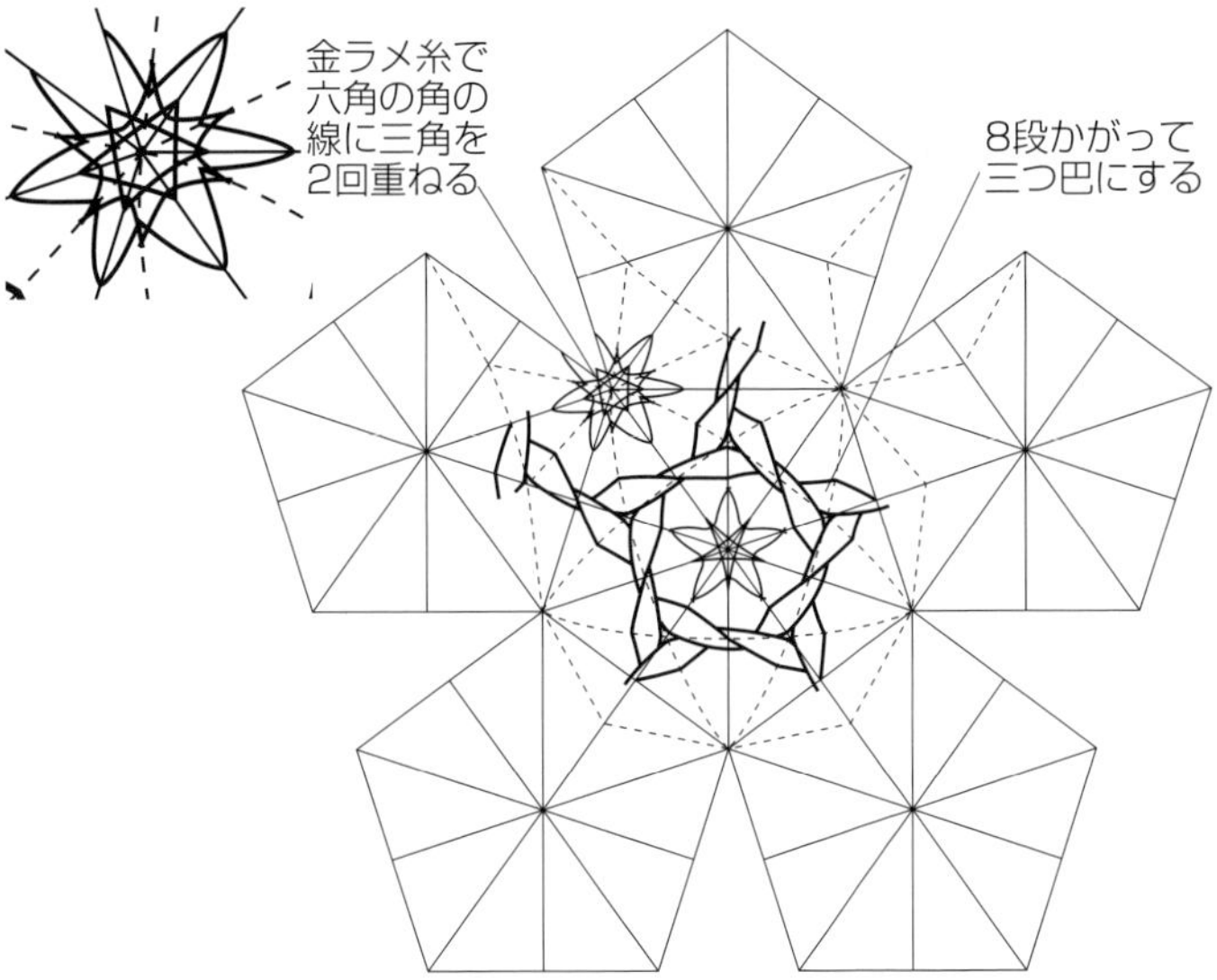

を細金で十字を散らします。

高原　曄子

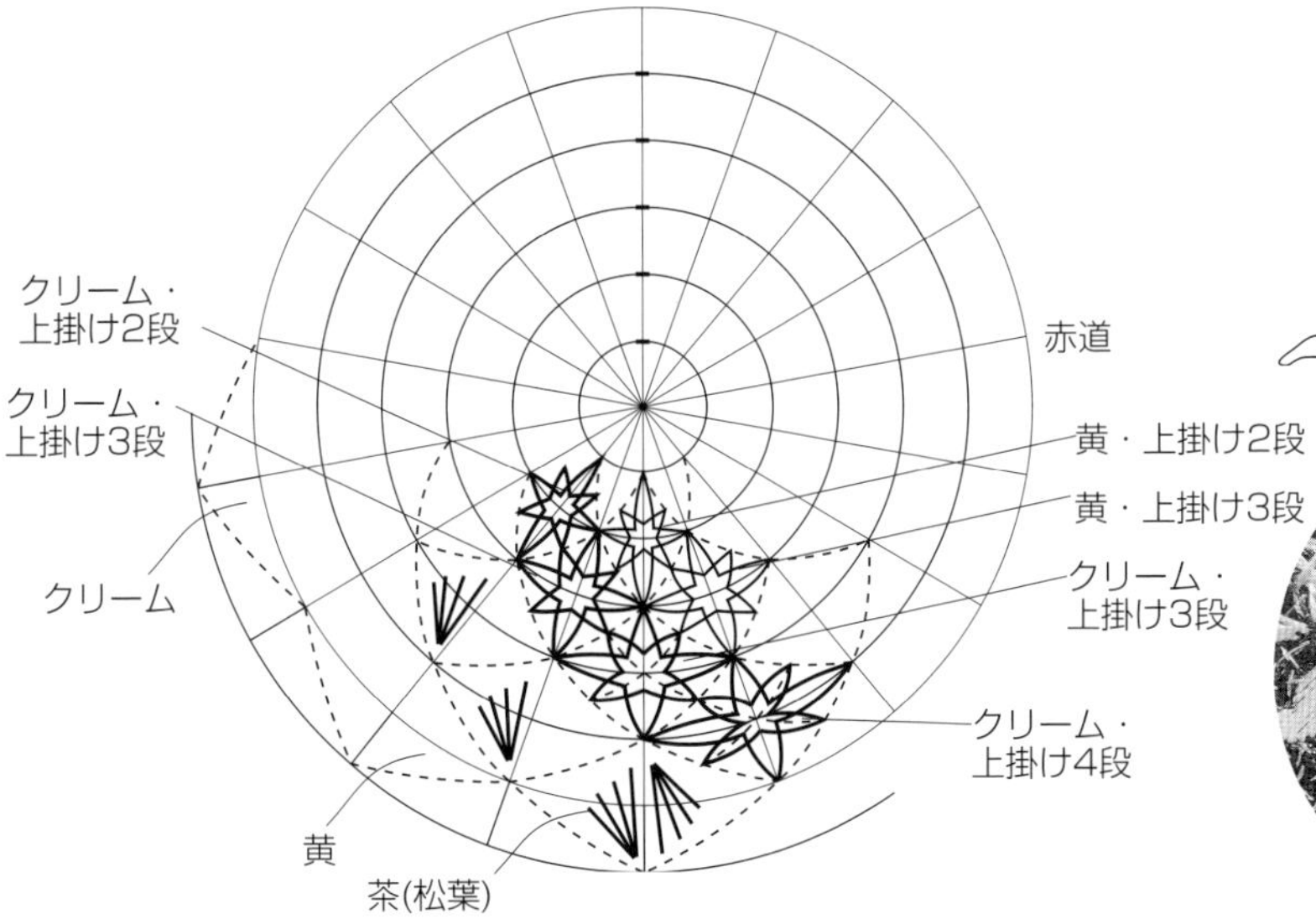

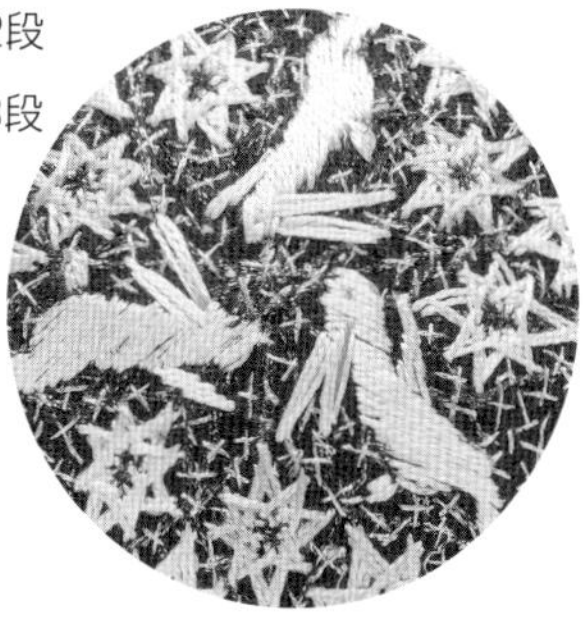

を入れ、3色の紡錘型を10段交差かがりでかがり、最後の1段を細ラメ糸で三つ羽根にかがり、中心に松葉かがりを入れます。ほかの六角の場所も同様に松葉かがりをします。

増田あや子

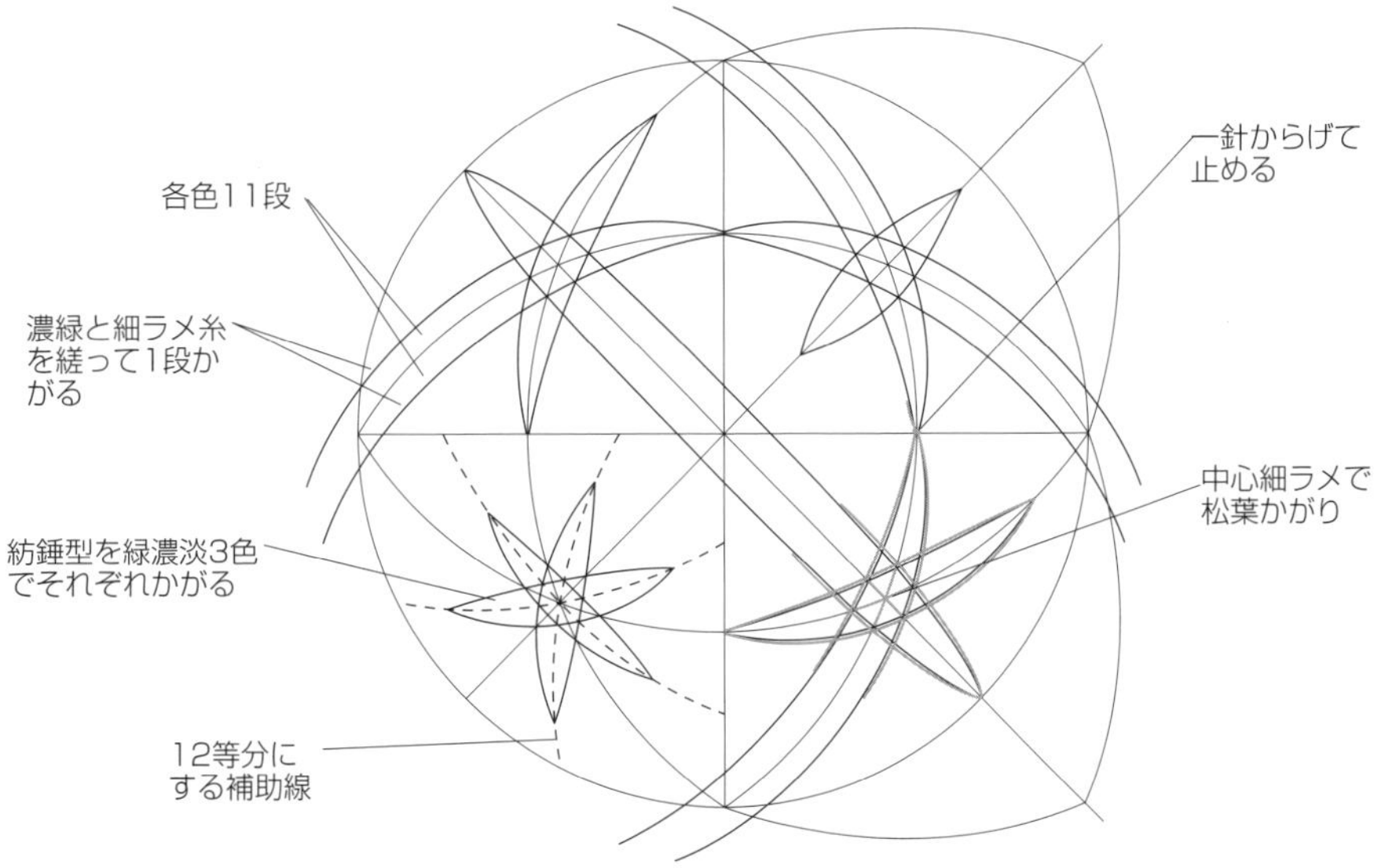

麻の葉とぼかし菊　16等分

上級

口絵32ページ

■材料

土台まり　円周36cm
地巻き糸　黒地巻き糸
地割り糸　クリーム糸
かがり糸　25番刺繍糸　濃オレンジ　クリーム　山吹色　黒

① クリームの土台糸で16等分の地割りをします。
② 赤道の線と同寸を上下に取り、その上下に同寸を2回作ります。
③ できた四角の中心を通る寸法を縦横に入れ、さらに斜め補助線を入れます。
④ 三角に麻の葉（地割りと同じ糸）をかがります。
⑤ 赤道を中心に小さなぼかし菊を濃いオレンジ1段、山吹色2段、クリーム3段、黒1段をかがります。

木香ばら　10等分の組み合わせ

上級

口絵11ページ

■材料

土台まり　円周32cm
地巻き糸　ベージュ地巻き糸
地割り糸　しつけ糸
かがり糸　25番刺繍糸　緑　薄緑　薄紫　ピンク　青　金糸

① 緑で五角の長い線の中心から1.7cmから五角を12段かがります。薄緑7段、緑5段。12か所すべてかがります。（図1）
② 黄色で三角を図1の通り、①の五角にくぐらせながら中心まで11段かがる。すべての三角をかがります。
③ 五角の残った部分に緑と薄紫で埋まるまでかがります。（図2）
④ 花の中心に花芯をピンクの25番糸2本どりで、松葉かがりとフレンチナッツステッチでかがります。

重ね星　10等分の組み合わせ

上級

口絵7ページ

■材料

土台まり　円周30cm
地巻き糸　こげ茶地巻き糸
地割り糸　しつけ糸
かがり糸　5番刺繍糸　濃ピンク　ピンク　茶　ベージュ　薄茶　クリーム　緑　薄緑　青　空色　黄　紫　藤

① しつけ糸で10等分の組み合わせの地割りをします。
② 五角10等分の中心より0.5cm外から各色で10段を長い線にかがります。
③ ②でかがった五角の外に、各色で11段かがります。
④ 大、小五角の中央を黄2本どりで締めて、星の感じを出します。
⑤ 五角の地割りを黄1本でかがり、縁取りをします。

⑥　両極にも大きなぼかし菊を濃いオレンジ1段、山吹色2段、クリーム5段の筋立て上掛けかがりをします。

田村小夜子

両極の菊

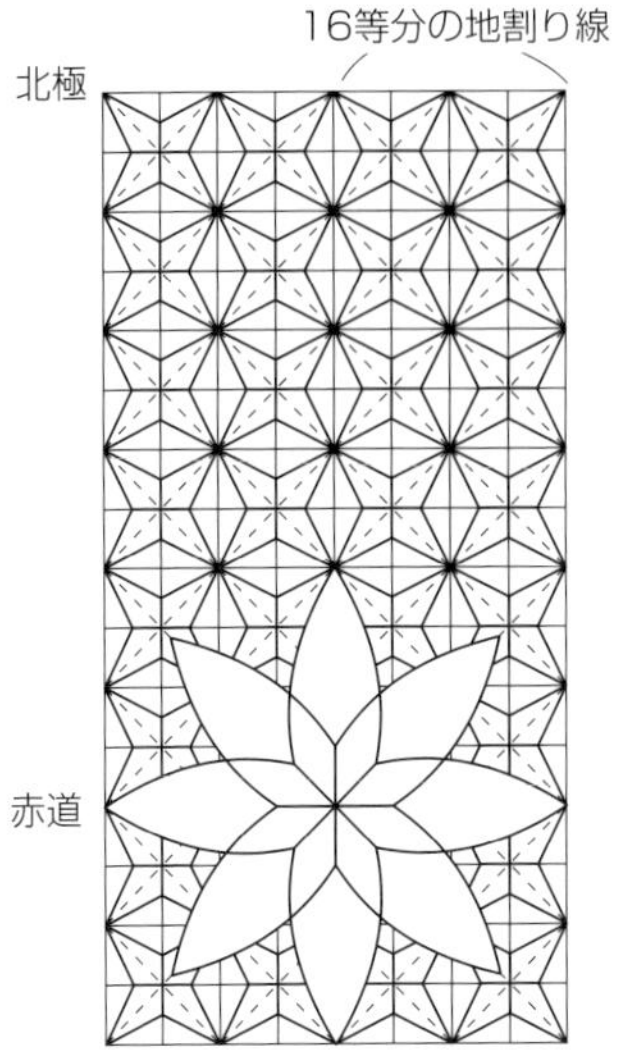

⑤　五角の上に青の25番糸3本どりで連続三つ羽根亀甲を、その中心に金糸でフレンチナッツステッチをかがります。

谷川　文代

図1

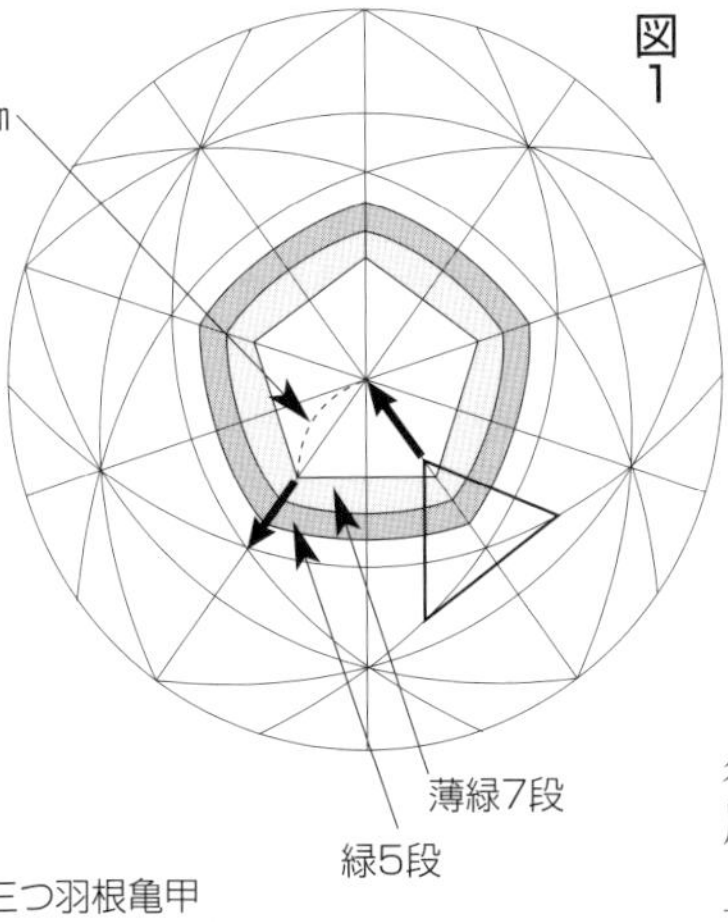

図2

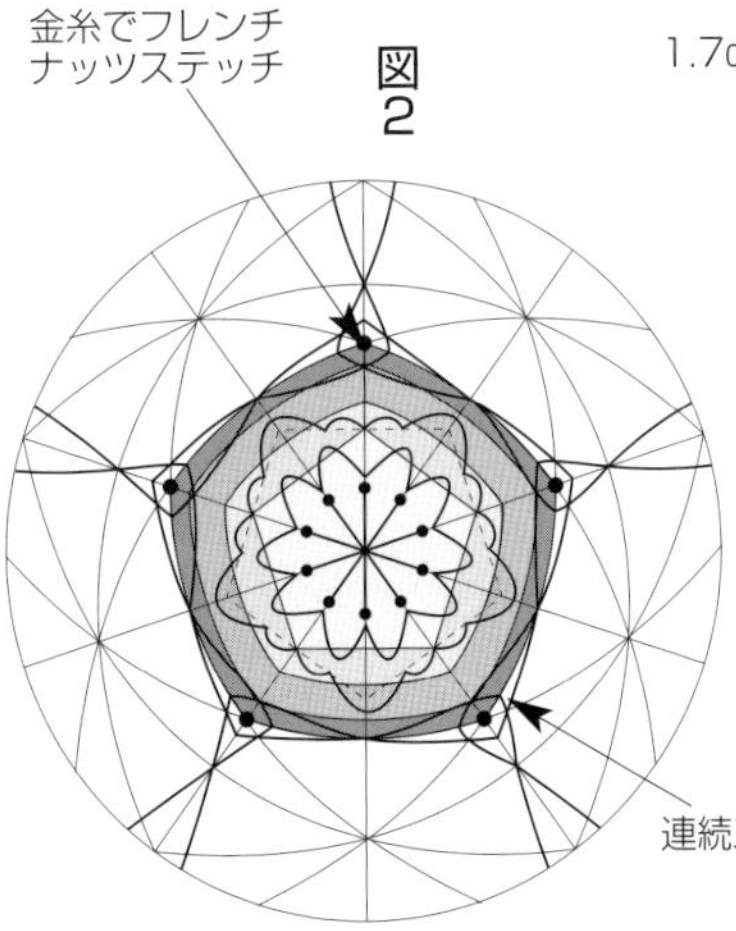

完成
図3

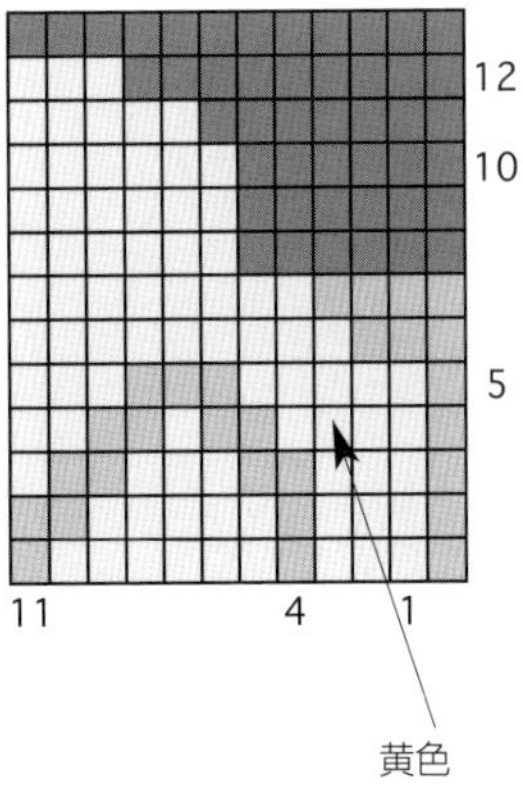

⑥　地割りのしつけ糸を全部取り除きます。

黒田　幸子

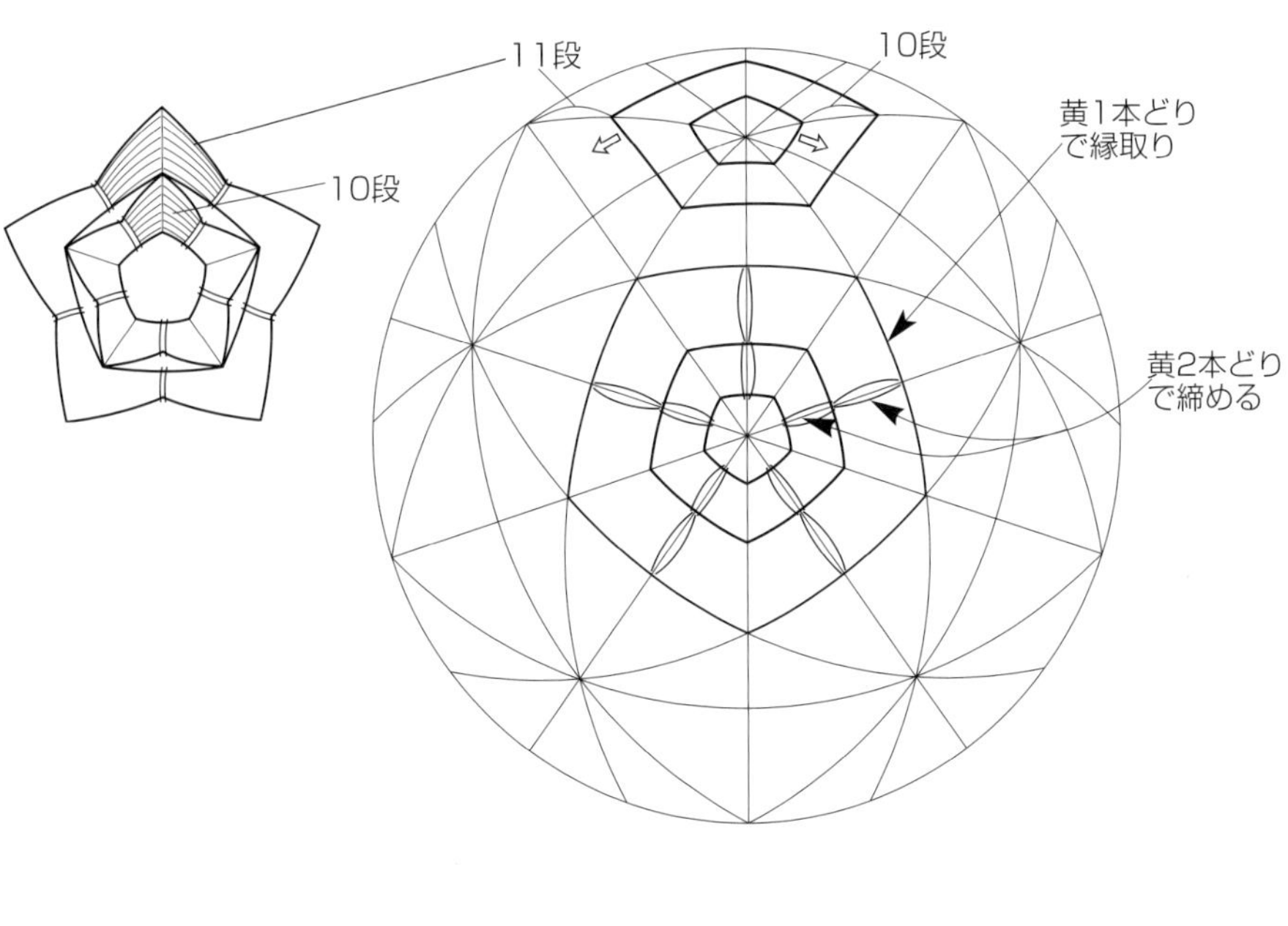

ねじり桔梗　10等分の組み合わせ　■上級

口絵12ページ

■材料

土台まり　円周30㎝
地巻き糸　白地巻き糸
地割り糸　金ラメ糸
かがり糸　京てまり糸　赤　紫　青　緑　黄　ぼたん

① 金ラメ糸でねじりの地割りの10等分の組み合わせをします。
② さらに細かく地割りをし、五角の中心間を5等分し三角240に割ります。
③ 五角の外に地割り線より各色で五角を10段かがります。
④ 五角の中に角の中にある五角の花を各色で中心側は上掛けにし五段かがります。

黒田　幸子

交差とねじり　10等分の組み合わせ　■中級

口絵20ページ

■材料

土台まり　円周34.5㎝
地巻き糸　白地巻き糸
地割り糸　細金ラメ糸
かがり糸　5番刺繍糸　白　水色　濃水色　紺　濃紺　細金ラメ糸

① 細金ラメ糸で10等分の組み合わせの地割りをします。
② 三角6等分を12等分になるように細金ラメ糸で補助線を入れます。
③ 五角の中心で交差しながら補助線をとり、星形を白1段、水色1段、濃水色2段、紺2段、濃紺1段をかがります。
④ 隣りの五角も③と同じようにかがり、隣りとねじりながらかがります。
⑤ 四角も③と同じようにねじりながらかがります。

束割り菊寄せ　8等分の組み合わせ　■上級

口絵15ページ

■材料

土台まり　円周30㎝
地巻き糸　茶地巻き糸
地割り糸　薄茶糸
かがり糸　25番刺繍糸2本どり　薄茶　赤　黄　緑　空色　薄オレンジ　グレー

① 薄茶2本どりで8等分の組み合わせの地割りをします。
② 三角6等分4か所に薄茶2本どりで、筋立て上掛けで5段かがり、赤1本どり1段で、中心に赤で地割り線に沿って松葉かがりをします。
③ 残りの三角6等分4か所に逆上掛けで薄茶4段、グレー1段、薄茶2段、グレー1段、薄茶3段、グレー1段で中心までかがります。
④ ③の周り3か所に空色、黄緑、薄オレンジ2本どりで8等分の地割りをして、各色3

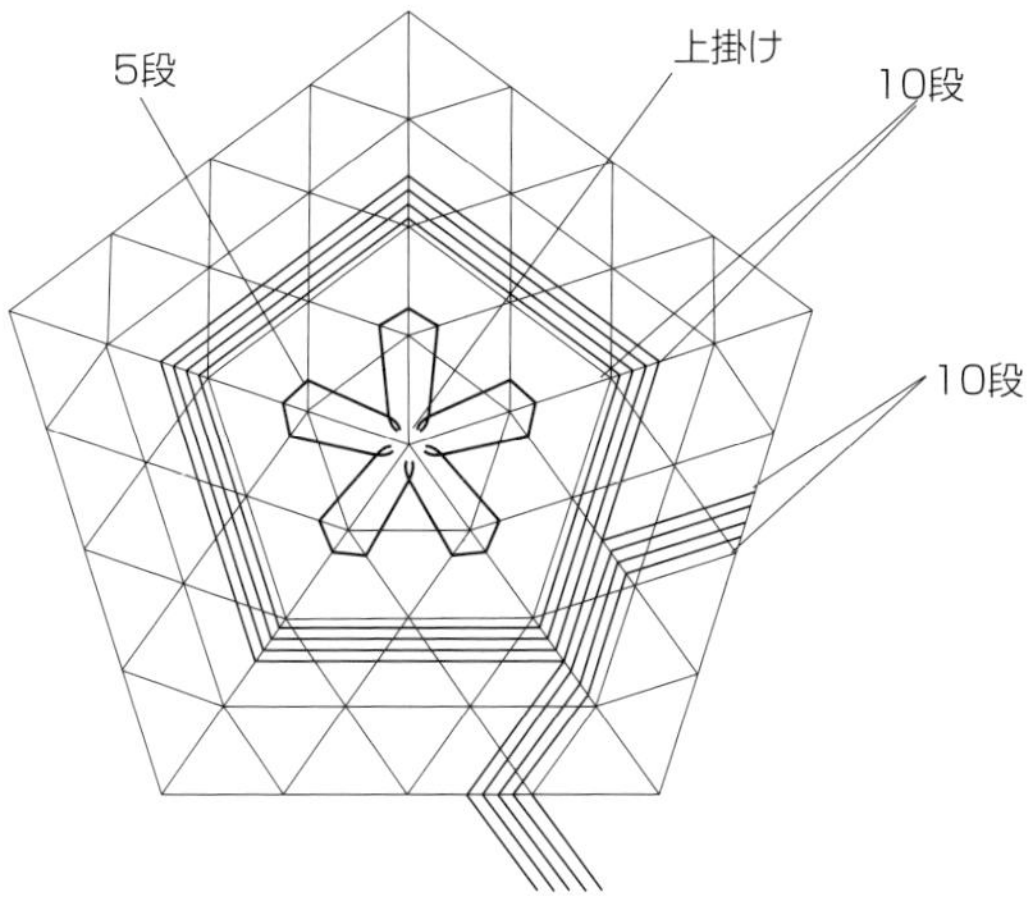

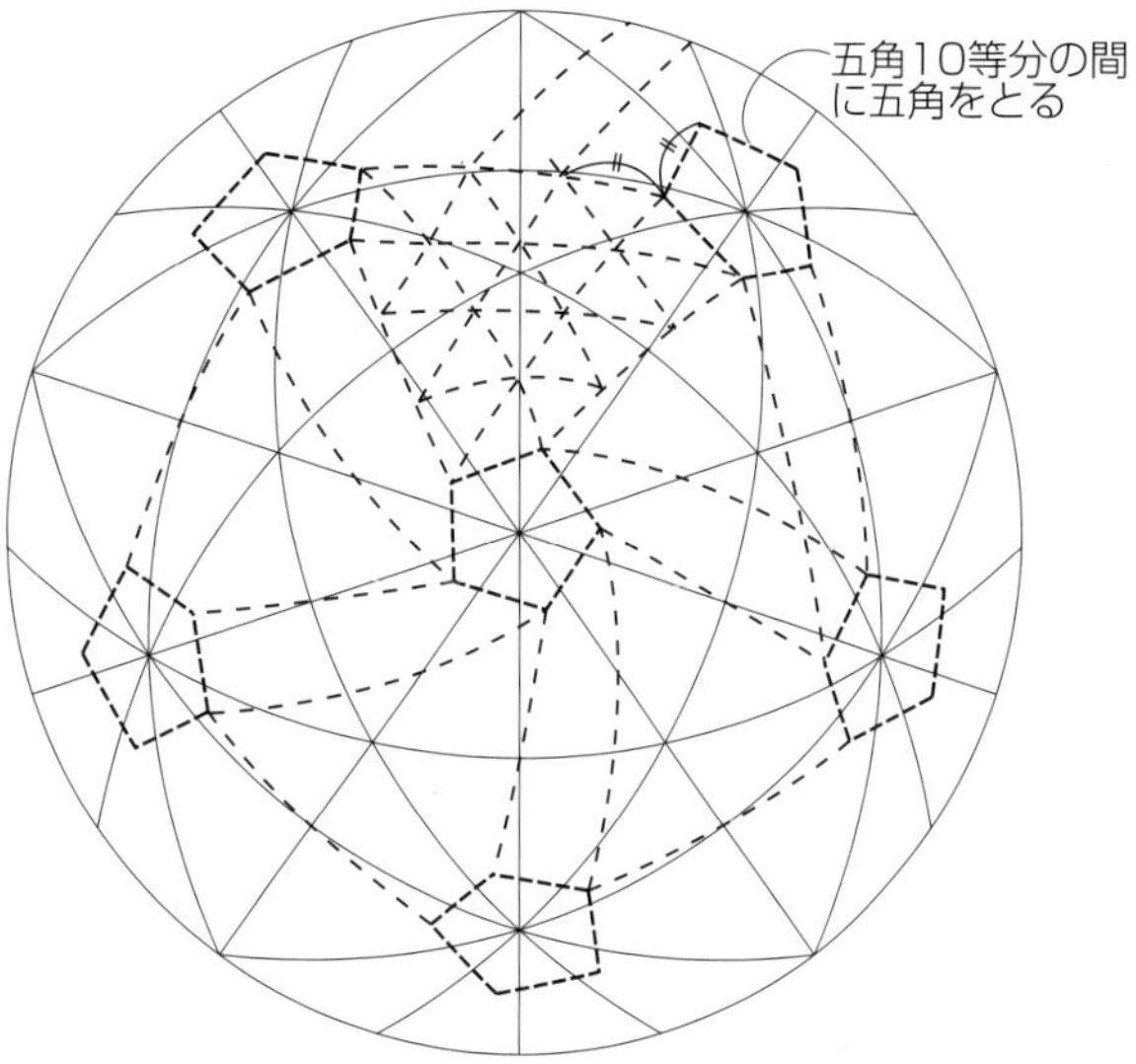

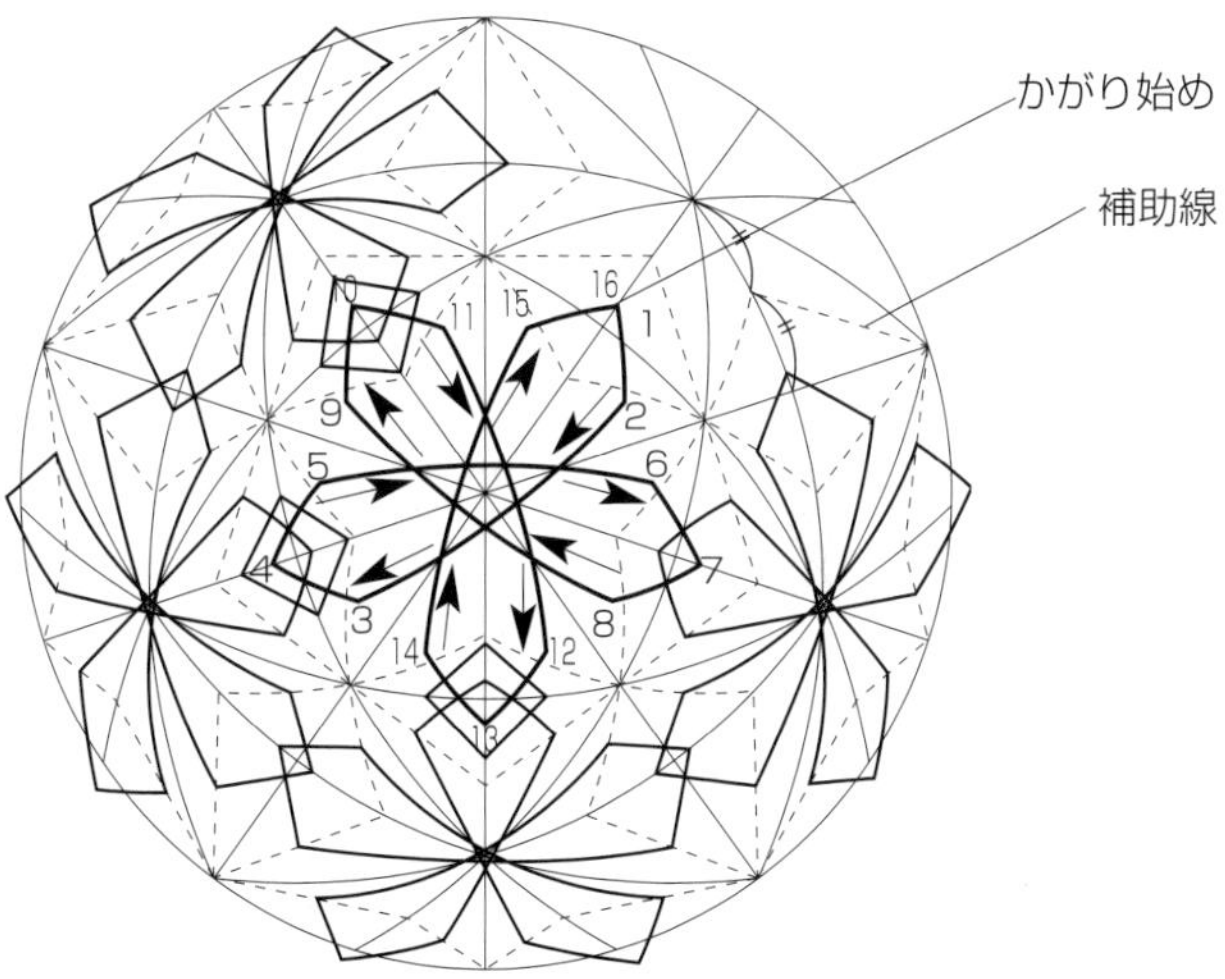

⑥　三角の中心に濃紺で三角を重ねて、１段ずつ２回かがります。

小川婦美子

段、薄茶１段の菊かがりをします。

⑤　四角８等分の中心にグレー１本どりで松葉かがりをします。

谷川　文代

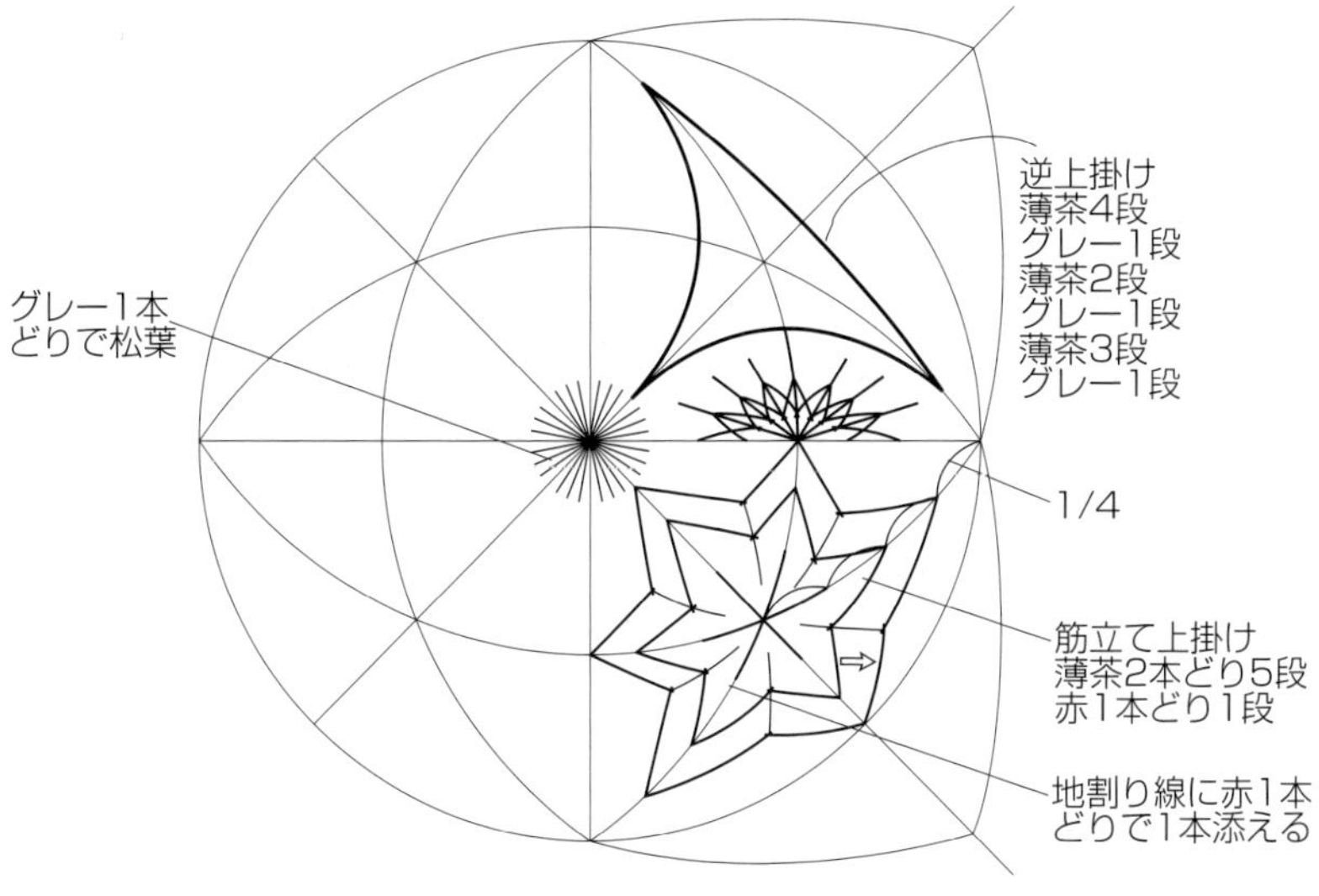

向かい鶴　10等分の組み合わせ　■上級

口絵3ページ

■材料

土台まり　円周40.7cm

地巻き糸　黒地巻き糸

地割り糸　色細ラメ糸

かがり糸　京てまり糸　白　黒　赤　水色　緑
茶　薄茶　グレー　細金ラメ糸　色細ラメ糸

① 細色ラメ糸で10等分の組み合わせの地割りをします。

② 菱の中心を結んで五角12個と三角20個にします。

③ 五角を20等分にする補助線を入れます。

④ 五角の中心より1cm下から、外回りより1cm中に、上より1/3は下をくぐらせる上掛けで羽根を7枚ずつ水色1段、白3段かがり、中心の3枚の羽根は細金ラメ糸で2段かがります。

⑤ 中心に細金ラメ糸で1段かがります。

飛翔新《しん》松子《ちぢり》　10等分の組み合わせ　■上級

口絵2ページ

■材料

土台まり　円周56.5cm

地巻き糸　薄茶地巻き糸

地割り糸　細金ラメ糸

かがり糸　25番刺繍糸　白　黒　赤　黄　緑
茶　薄茶　藤　ピンク　濃グレー　薄グレー
薄緑　細金ラメ糸　金ラメ糸　銀ラメ糸

① 細金ラメ糸で10等分の組み合わせの地割りをします。

② 細金ラメ糸で大きい五角12個と小さい五角60個に分けます。

③ 大きな五角の間にできた細い三角をつないで十角にして細金ラメ糸で20等分にします。

④ ③の十角の地割り線5本を残して白3本どりで中心より0.4cm下より上掛け千鳥で5段かがり、6段目より交差した糸を全部すくって、上掛け千鳥を5段かがります。

⑤ ④の残した部分に白2本どりで網目かが

折り鶴　10等分の組み合わせ　■上級

口絵3ページ

■材料

土台まり　円周40.3cm

地巻き糸　白地巻き糸

地割り糸　細銀ラメ糸

かがり糸　京てまり糸　白　えんじ　橙　濃緑
濃紫　金ラメ糸　細銀ラメ糸

① 細銀ラメ糸で10等分の組み合わせの地割りをします。

② 五角10等分の中心より1.8cmのところに待ち針を打ち、三角を白で16段かがります。

③ ②をかがるとき、五角の中心に三角の頂点がくるようにかがります。

④ 五角の中心11段よりえんじ色で35段かがりますが、10段ごとに金ラメ糸で1段かがります。

⑤ 三角の中心に三羽の鶴が向き合うようにして、三羽の鶴の下は同色にします。

武久　憲明

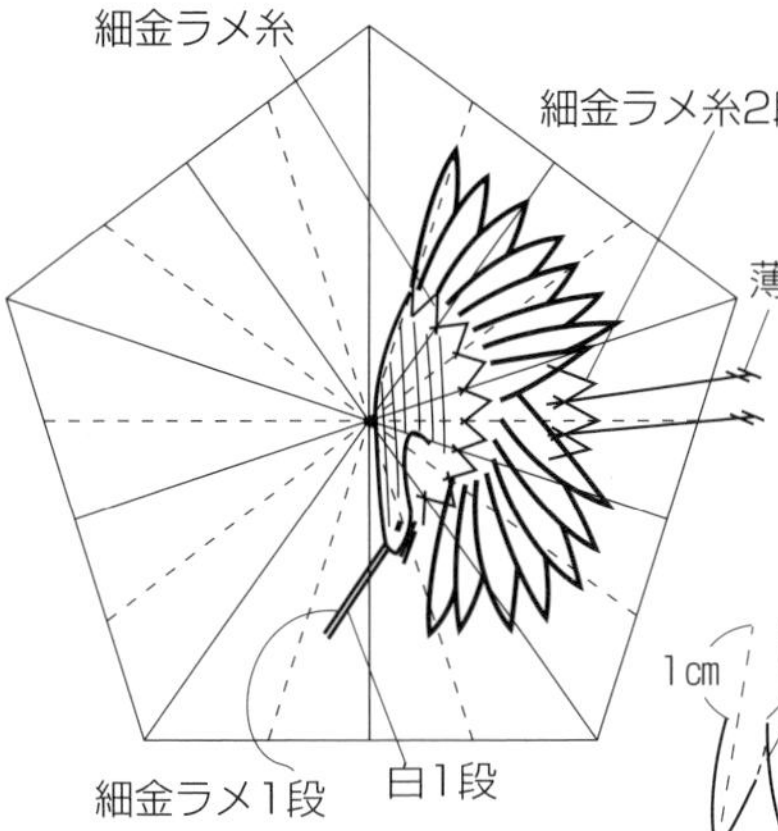

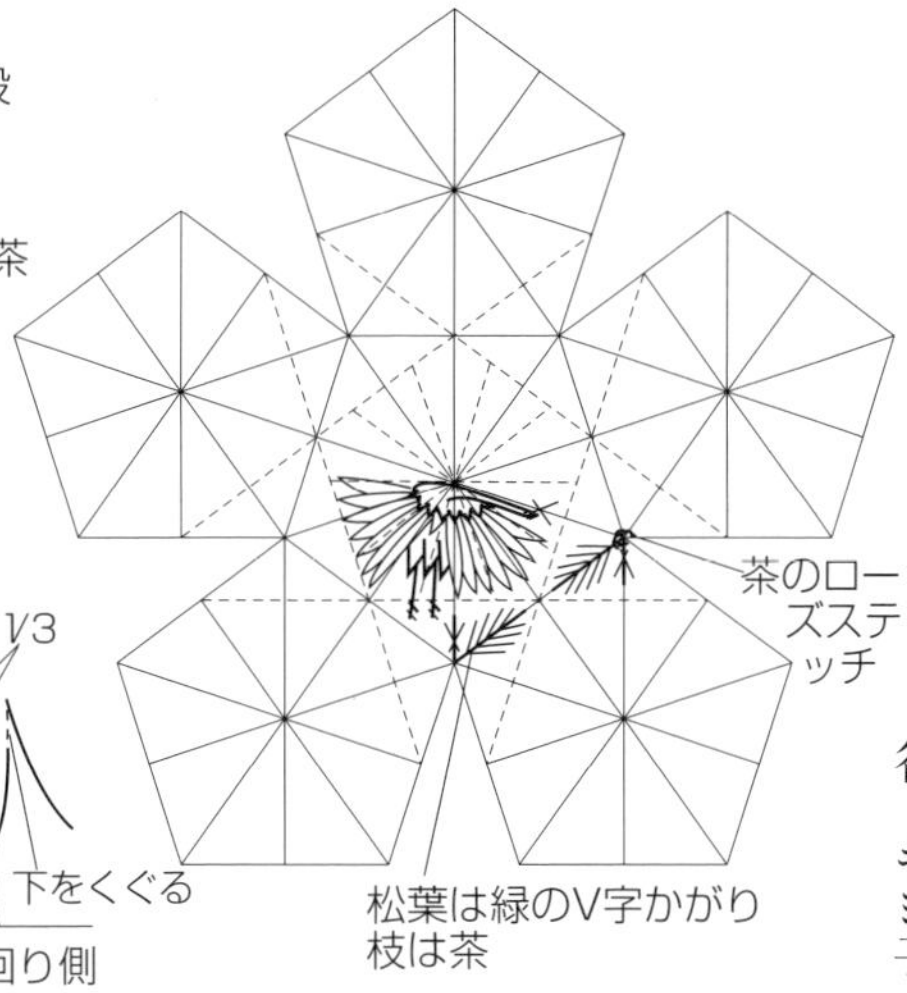

⑥ 首をサテンステッチでかがり、冠を赤で2段かがり、目を黒でかがります。嘴は白1段、細金ラメ糸1段で向かい鶴の嘴と交差させます。

⑦ ④の細金ラメ糸の羽根の間に薄茶で足を2本かがります。

⑧ 三角の中に緑でV字かがりの松葉を入れ、枝は茶でかがり、中心に茶でローズステッチを入れます。

谷 キヨ子

りを8段かがり、首を白と黒2本どりでアウトラインステッチで冠を赤、目を黒、嘴を黄3本どりでかがります。

⑥ それぞれの嘴に梅の枝、松の枝をくわえさせます。

⑦ 羽根の外に黒2本どりで尾の羽根を2段かがり、グレー濃淡を撚りながら足をかがります。

⑧ 小さい五角に緑2本どりで松葉をかがり、中心に茶濃淡でフレンチナッツステッチをして、3個の松葉の中心に藤2本どりで三つ羽根亀甲を3段かがります。

⑨ 鶴と松の間の地割り線上に亀を亀甲にかがり、頭、目、足をつけ、尾を金ラメ糸、銀ラメ糸でかがります。

竹内マツ子

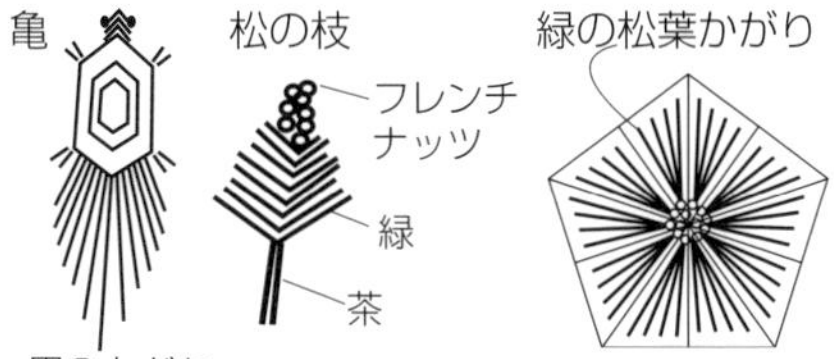

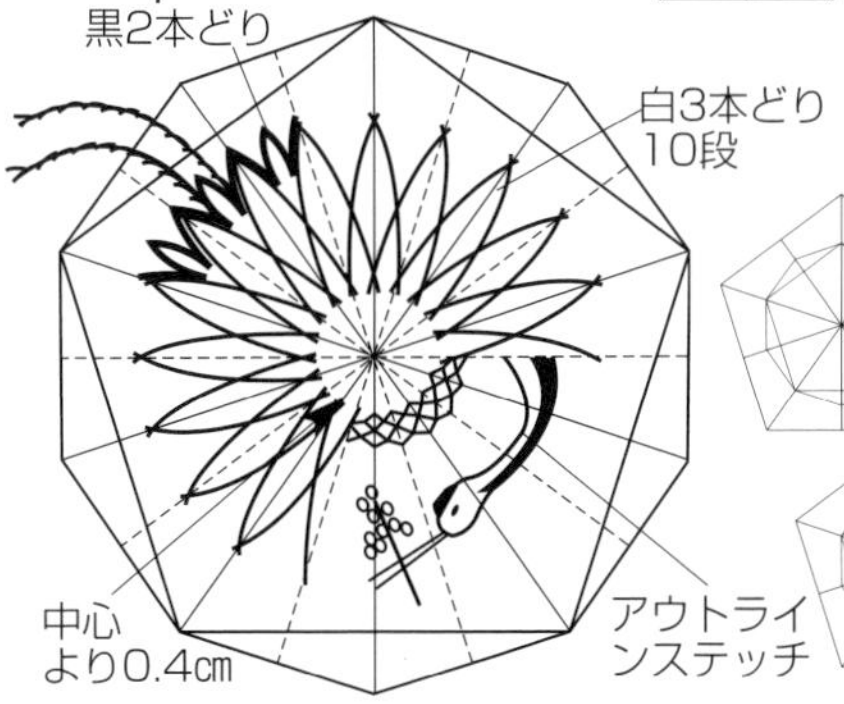

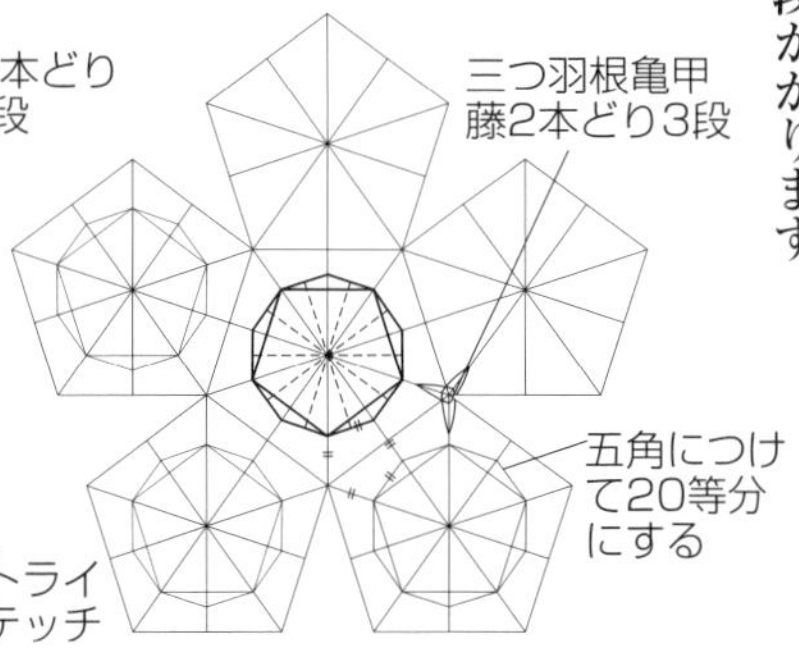

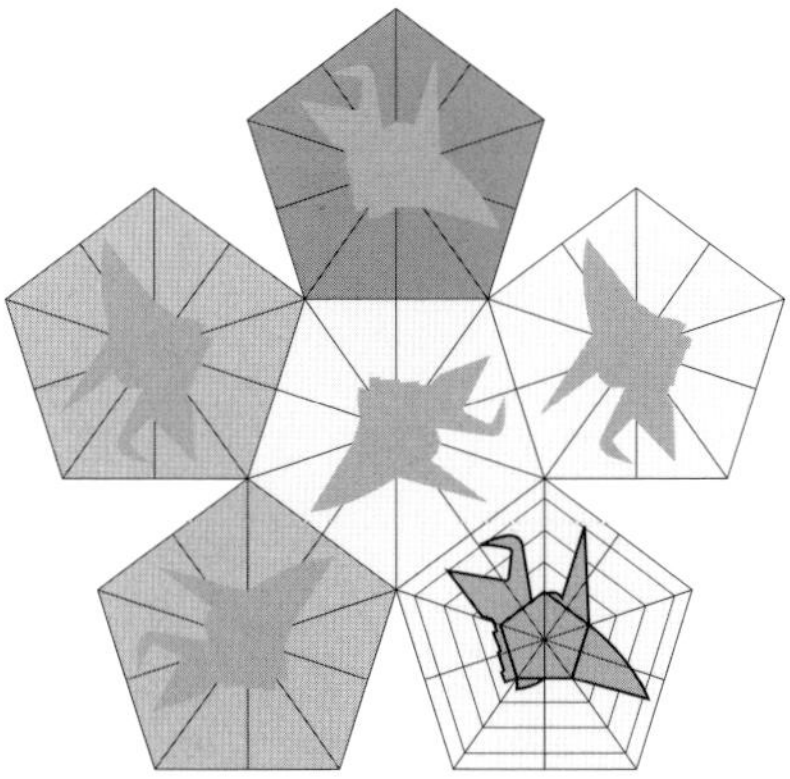

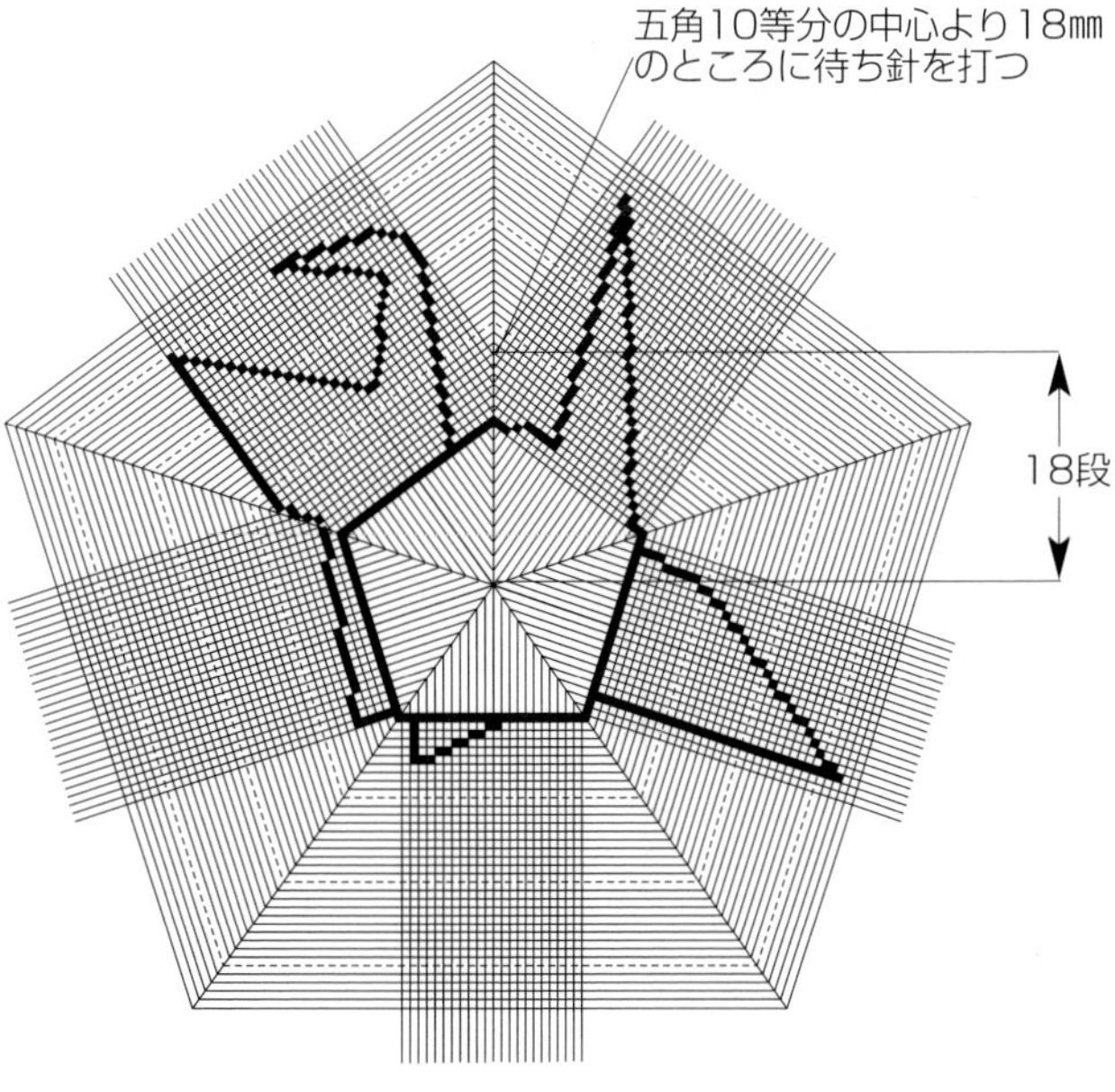

花と蝶

24等分

■中級

口絵16ページ

■材料

土台まり　円周36㎝

地巻き糸　空色地巻き糸

地割り糸　金ラメ糸

かがり糸　京てまり糸　薄藤　藤色　紫　ピンク　黄　オレンジ　薄黄　空色　水色　青　薄緑　緑　銀ラメ糸　金ラメ糸

① 金ラメ糸で24等分の地割りをします。

② 北極より1㎝下より、赤道より3㎝上を一つ飛ばしの上掛けの花をピンク、紫、藤、薄藤の順に8段かがります。

③ 南極側は極より1㎝下より1/2までを、地割り線3㎝幅残して黄、薄黄、オレンジ、藤、紫、水色、空色、水色各1段、青2段を地割り線1本おきに上掛けでかがります。

④ ③に続けて筋立て上掛けで薄黄、オレンジ、藤、紫、水色、空色、薄藤、青各1段かがります。

⑤ ④は1本空けない筋立て上掛けでかがります。

⑥ 南極の中心より1㎝下より紫でVかがり5段、フレンチナッツで目を入れ、アウトラインステッチで触角をかがります。

⑦ 胴体の下の空いているところに薄黄と青を交互に11段羽根をかがり、中心を紫で4回巻きかがりで締めます。

⑧ 赤道より菊かがり側に草色で12段、緑10段の巻きかがりをし、銀糸で一つ飛ばしの千鳥かがりをします。

⑨ 空いているところの地割り糸を取り除きます。

谷川　文代

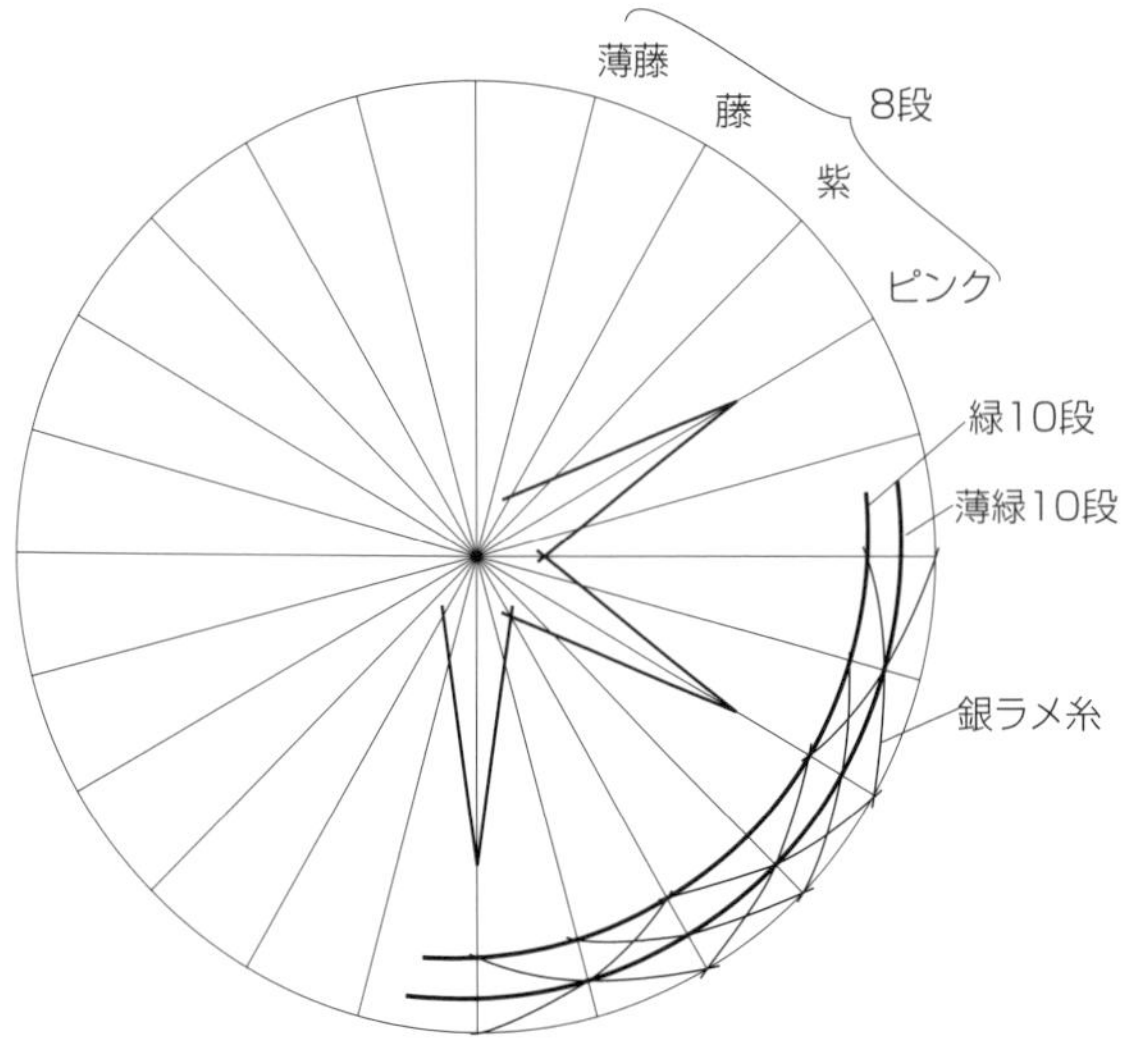

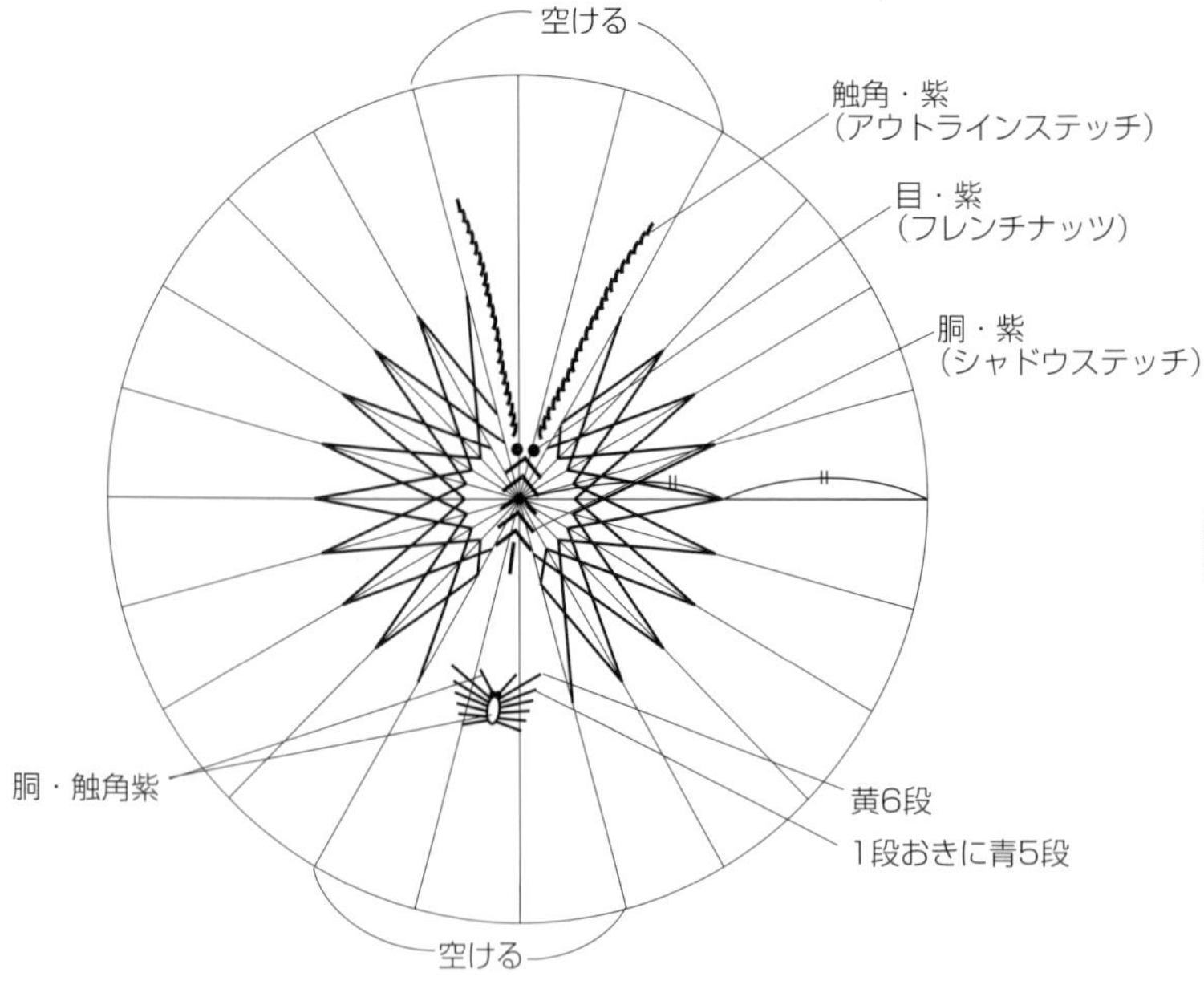

藤棚と菊　6等分

■中級

口絵13ページ

■材料

土台まり　円周28.5cm

地巻き糸　えんじ地巻き糸

地割り糸　しつけ糸

かがり糸　5番刺繍糸　薄茶　グレー　黄　緑　赤　白　藤　薄緑　オレンジ　ピンク　朱赤　細金ラメ糸

① しつけ糸で6等分の地割りをします。

② 北極と赤道の1/2より六角を薄茶を1段、グレー1段、薄茶1段をかがり、中を4本のかごめに組みます。

③ 赤道より1cm上より②の周りを薄茶3段、グレー1段、薄茶1段、グレー1段、薄茶2段の紡錘型をねじりながら3個かがり、紡錘型の内側より薄茶2段、グレー1段、薄茶1段、グレー1段、薄茶2段巻きかがりを紡錘型の下を止めながらかがります。

④ 紡錘型の先1本より南極を通り、紡錘型の先まで薄茶4本巻き、赤1本でねじりながら止めます。

⑤ ④の薄茶に絡ませながら、薄緑1本で山型にかがり、レゼーデージステッチで葉をかがります。

⑥ 南極側に藤の花を3本ずつ白と藤色でレゼーデージステッチでかがり、葉は薄茶にします。

⑦ 紡錘型の間に細金ラメ糸で8本の松葉を入れ、白1段、オレンジ2段と白1段、藤2段の花を交互に入れます。

⑧ 南極側の紡錘型の際に金糸で松葉をかがり、朱赤1段、ピンク2段の菊を2か所かがり、紡錘型との際を緑で山型にかがります。

⑨ ⑧の隣りに黄、オレンジ、朱赤の花をかがり、花芯と葉は緑にします。

⑩ 地割りのしつけ糸を取ります。

谷川　文代

レゼーデージステッチ

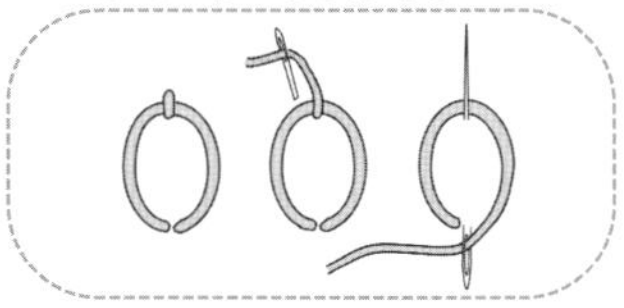

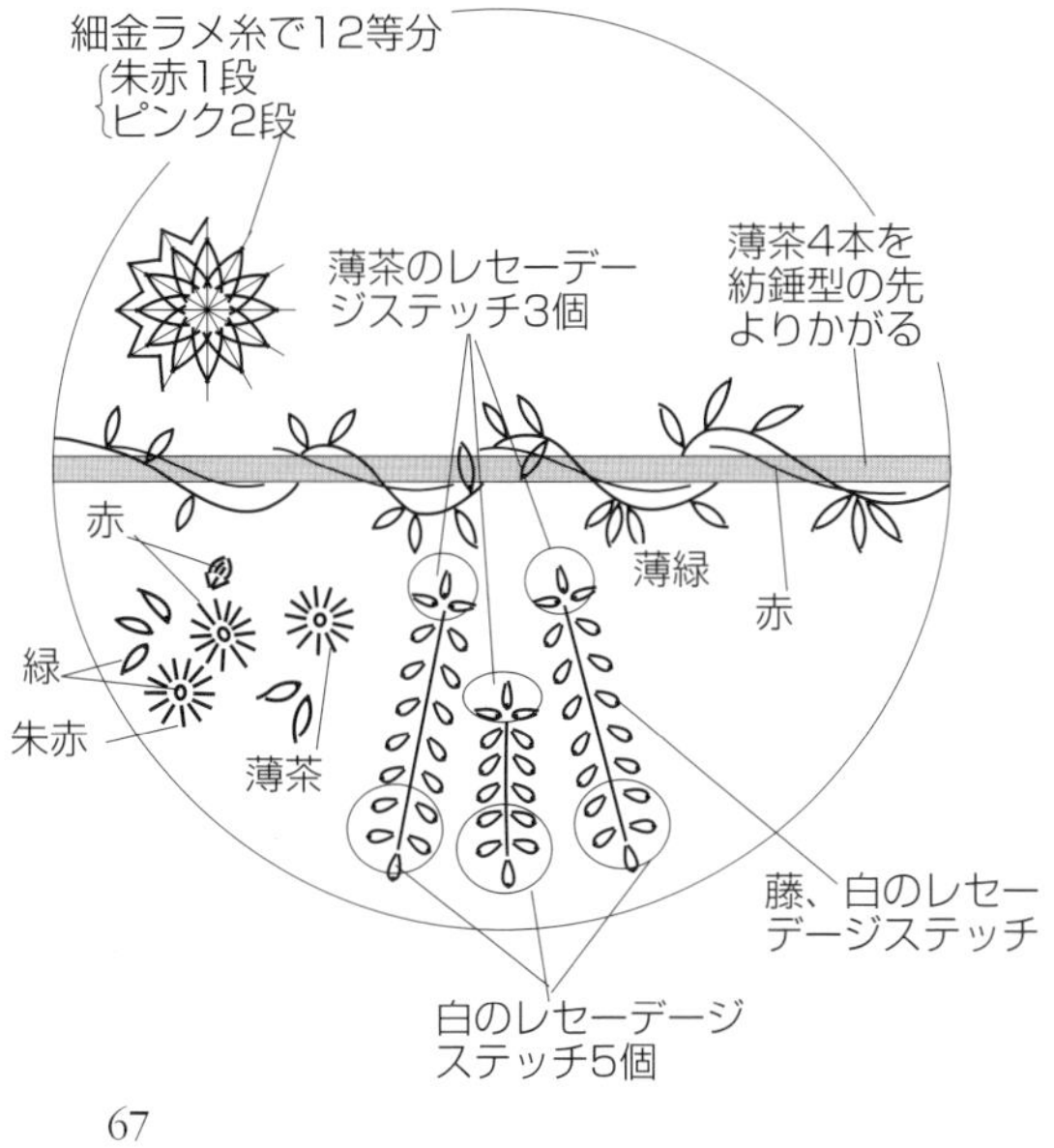

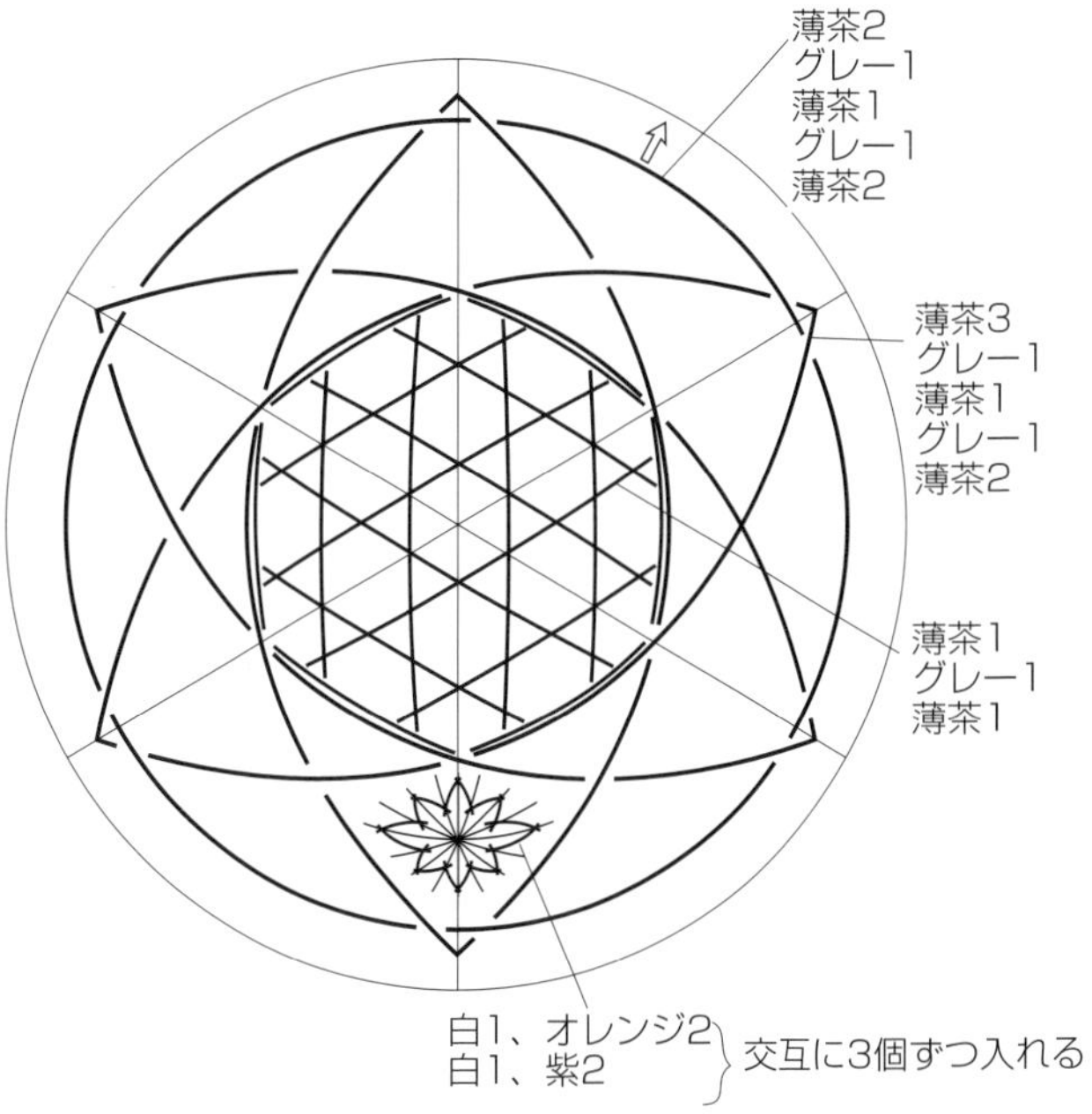

お雛様　8等分

■中級

口絵6ページ

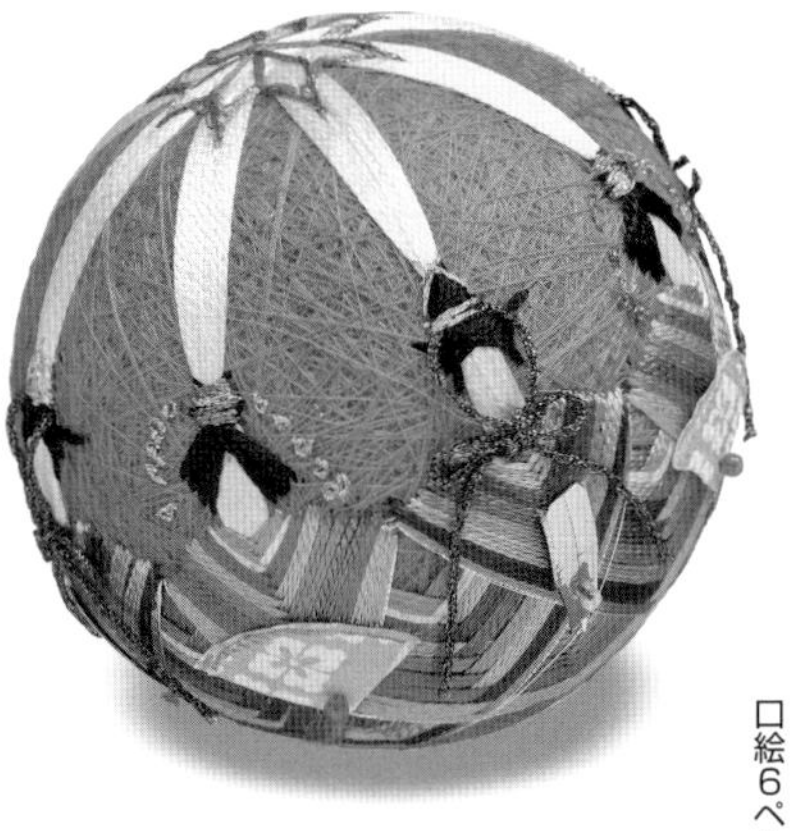

■材料

土台まり　円周29.5cm

地巻き糸　赤地巻き糸

地割り糸　しつけ糸

かがり糸　京てまり糸　白　黒　オレンジ　ピンク　赤　藤　薄茶　薄紫　青　黄　空色　緑　茶　紫　細金ラメ糸　赤ラメ糸　金ラメ糸　青ラメ糸

①　北極側の赤道までの地割り線の両側を白で7回ずつ巻きます。

②　女雛は赤道より1/3上より黒2本どりで1/6まで斜めに4回かがり、中心を1回で束ねます。

③　②で束ねたところを赤ラメ糸で5回巻きかがりをし、両脇にフレンチナッツを5個ずつカーブをつけて飾りにします。

④　着物は隣の男雛の赤道より南極側1/3より顔の白を巻いて男雛へ交互に2本どりで朱2段、ピンク1段、赤2段、藤2段、朱2段、薄藤2段、赤2段、朱1段、細金ラメ糸2本どり1段かがります。

⑤　男雛は②と同じ位置より3回かがり、交差点に横に1本渡し、白の両側に0.5cmかがり、頭の上を金糸で6回巻き、最後に山型に1段かがり、青ラメ糸で髪の上より顔の下で結んで冠の飾りにします。

⑥　着物は隣の女雛の赤道より南極側1/3より女雛同様、青1段、黄1段、空色2段、茶2段、青2段、藤2段、紫2段、青1段、細金ラメ糸2本どり1段かがります。

⑦　北極に赤2本どりで松葉を入れ、松葉の先と白の幅の中央を結んで1段、赤ラメ糸1段、上下にかがります。

⑧　南極側は中心より紫、ピンク、茶を2本どり1段ずつ、ピンク1本どり1段、茶、空色、青、空色を2本どりで1段ずつ、青1本どり1段、空色、藤を2本どり1段ずつ八角にかがります。

⑨　最後に地割りのしつけ糸を取ります。

小出つや子

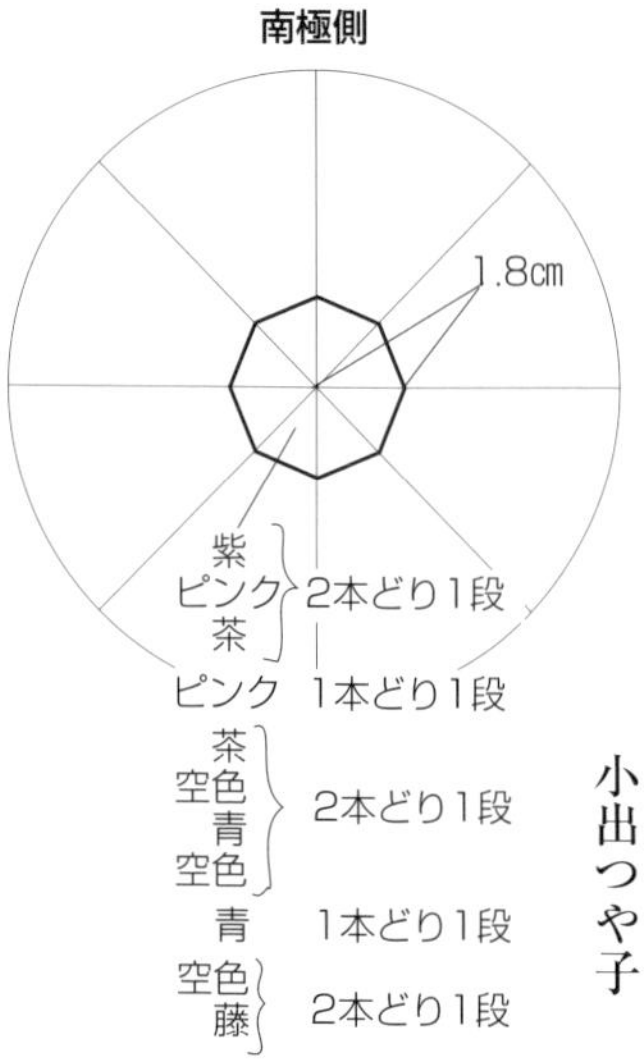

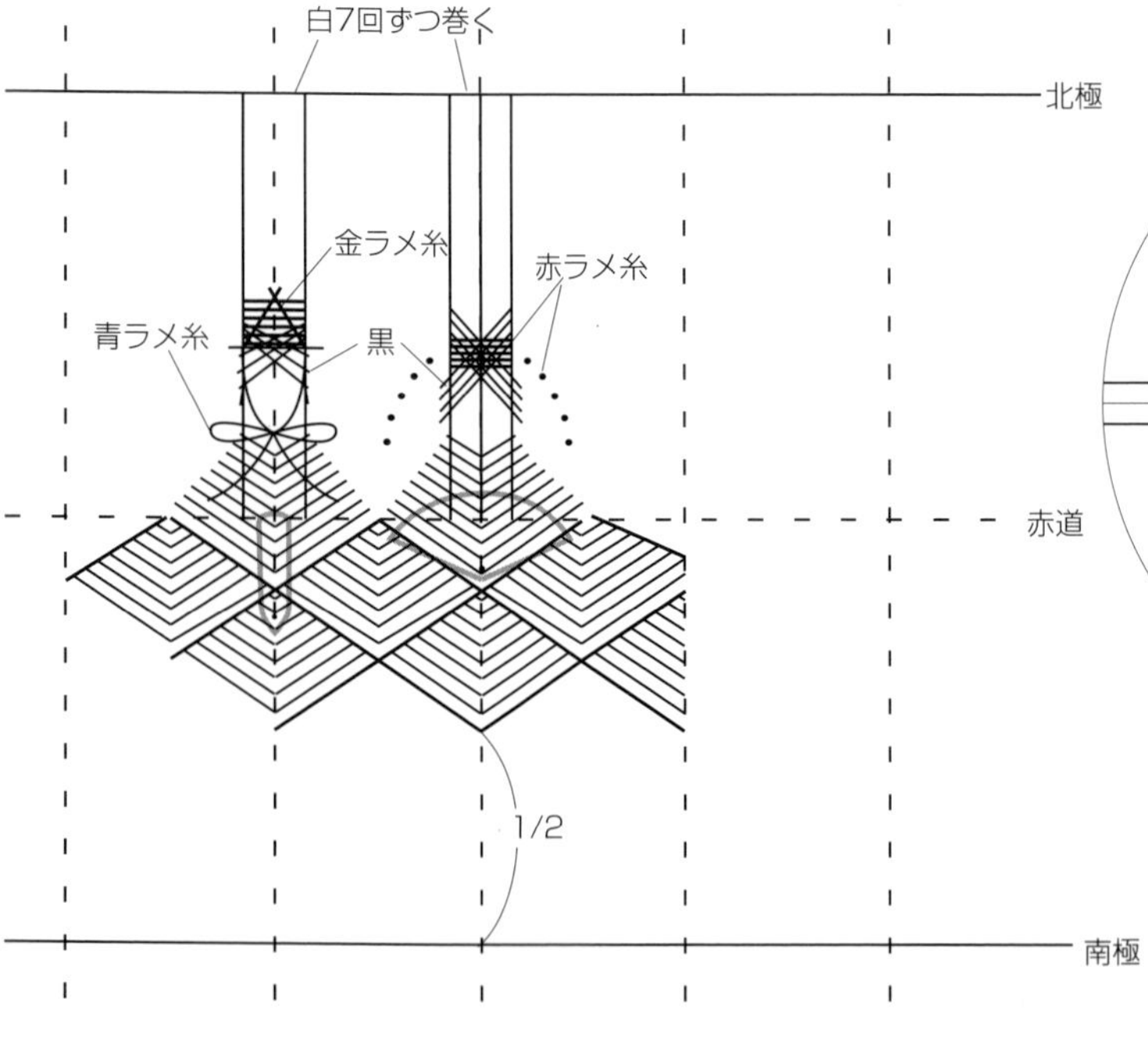

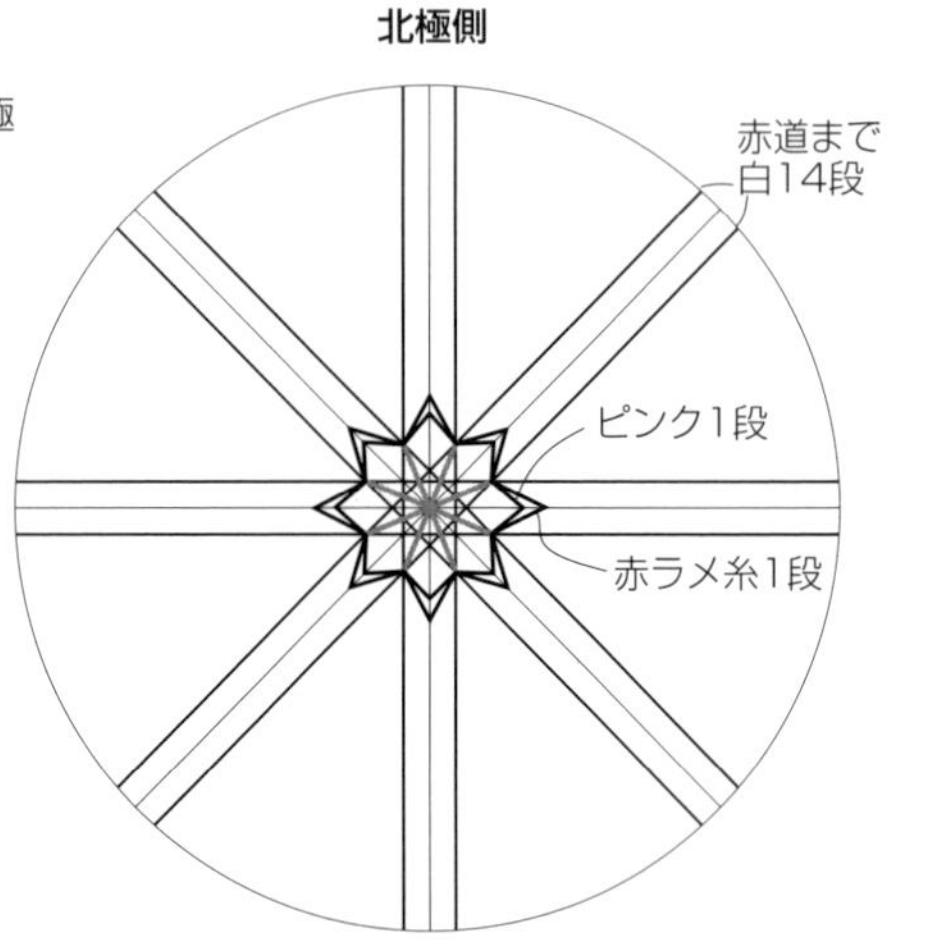

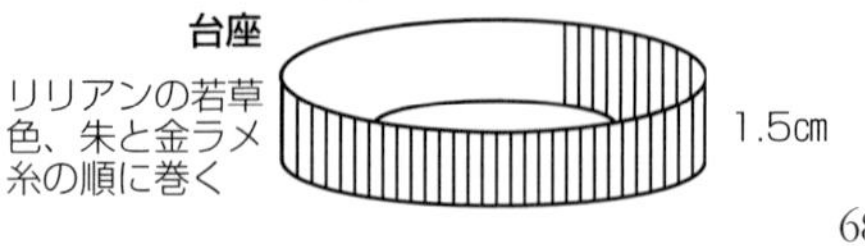

キルトブロック　8等分の組み合わせ　■中級

口絵27ページ

■材料

土台まり　円周44cm

地巻き糸　黒地巻き糸

地割り糸　金糸

かがり糸　5番刺繍糸　緑　青　黒　赤

① 四角い長い線の中心より1cmにピンを打ちます。

② 四角の中心AB、CD上に青で一巻きし、次にピンのある1cm地点に緑で一巻きします。

③ 2、3周目は、青は外側へ、緑は内側へ黒は外側へと巻きます。

④ 空白部分を同じ順序に前後左右に埋めていきます。(合計で5段)

⑤ 次に周りを四角かがりします。黒4段、緑1段、黒7段、青1段、赤2段かがります。

キルトブロック3&4

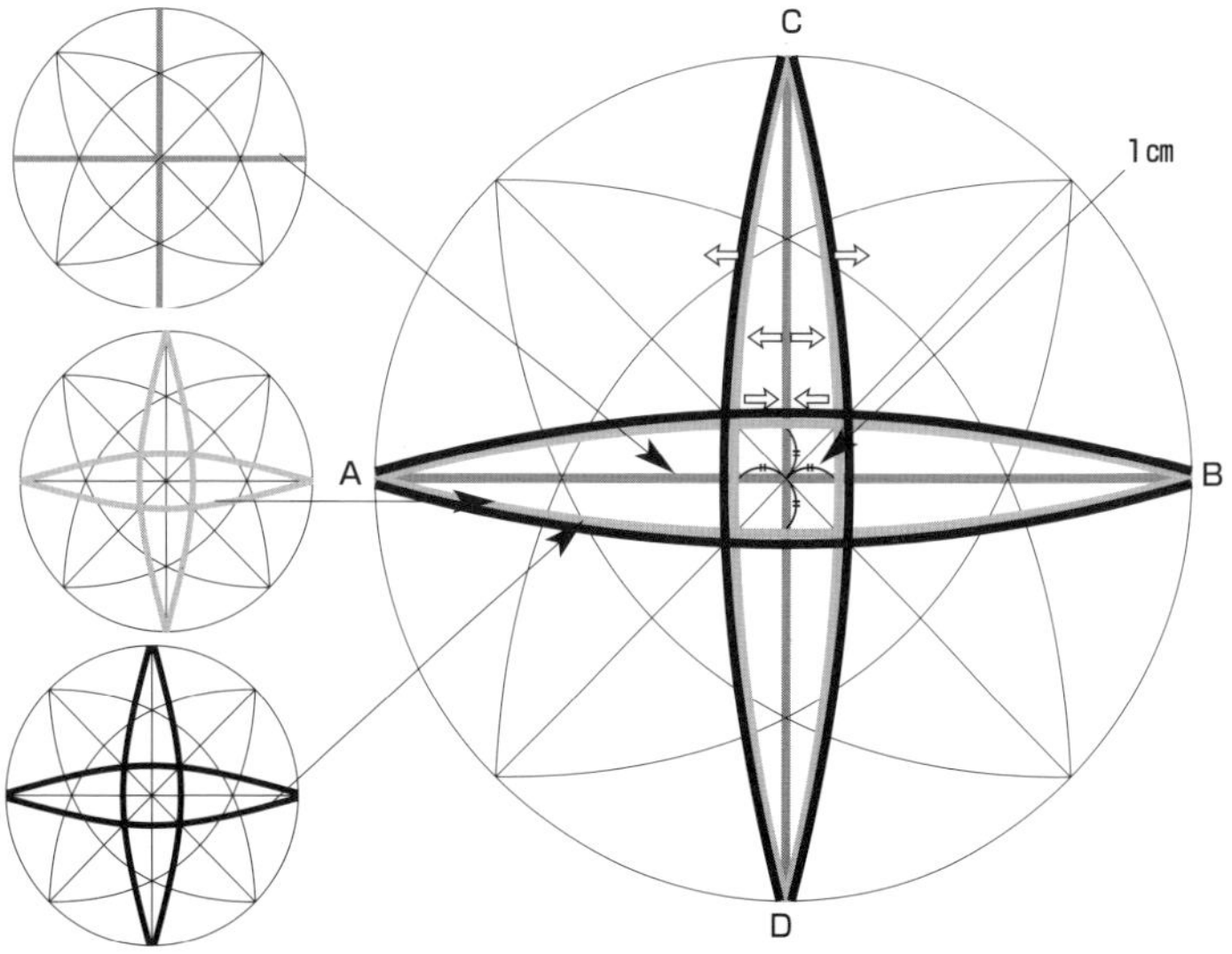

キルトブロック5&6

① 四角い長い線の中心より1cm、2cm地点にピンを打ちます。

② ABの1cm地点のピンに青で巻き、CD1cm地点に緑で巻きます。

③ ABの2cm地点のピンに青で巻き、CDの2cm地点に緑で巻きます。

④ 2cm地のAB、CDの外側に黒で巻きます。

⑤ 5段巻いた後、空白を前後左右に同じ順序でかがります。(合計で9段)

⑥ 四角を黒2段、青1段、赤2段かがります。

バーバラ スージー

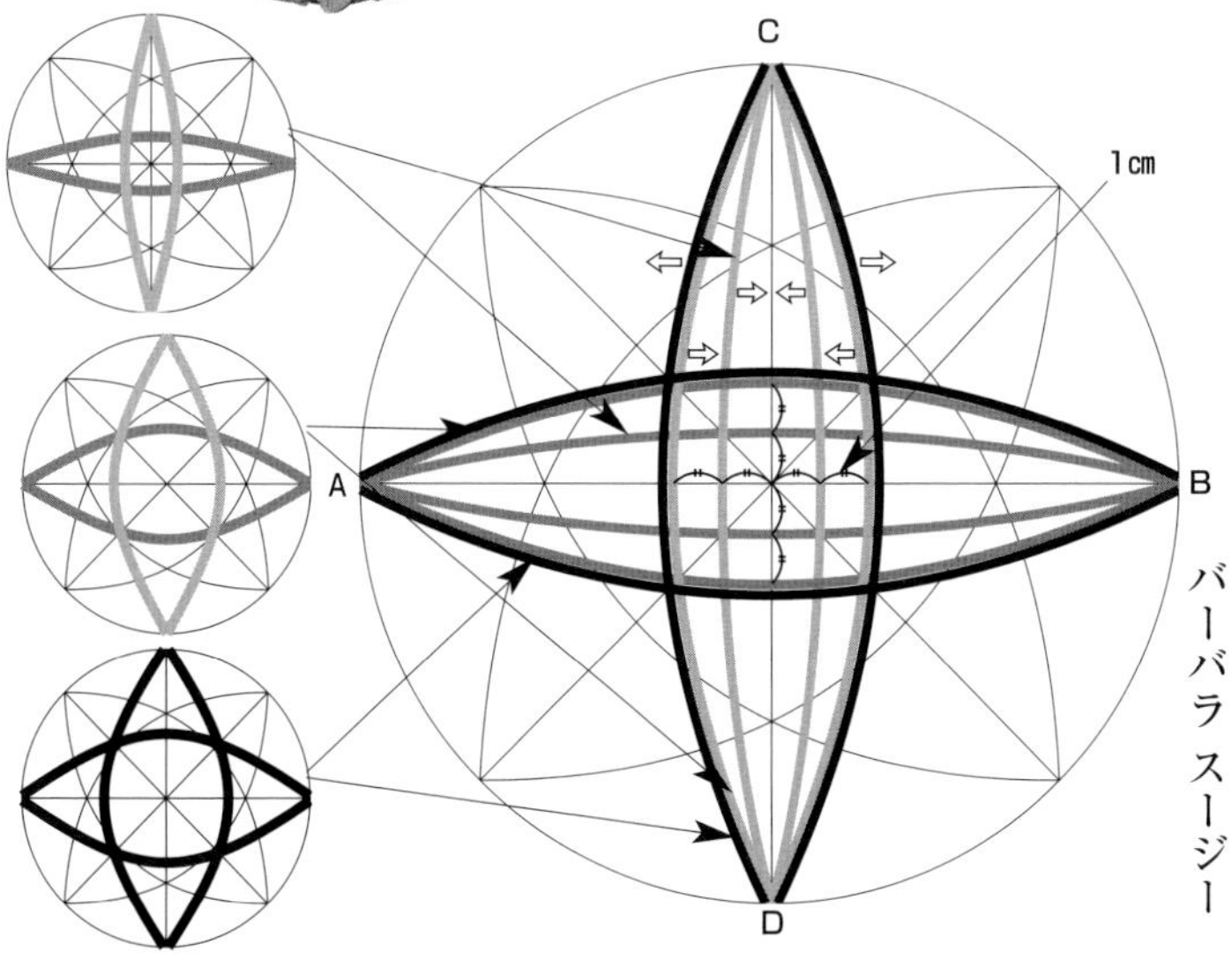

初雪　32面体

■上級

口絵26ページ

■材料

土台まり　円周32㎝

地巻き糸　黄地巻き糸（25番刺繍糸）

地割り糸　銀糸

かがり糸　5番刺繍糸　青　銀薄

① 補助線を入れます。三角6等分の長い線を4等分に菱4等分の短い線を半分にして図1の点線A、Bのように五角形、六角形を作ります。これで、小さい三角6等分が12等分になります。

② 小さい五角（32面体）の内側に雪片をかがります。図のように大きい五角形の長い線の半分と、小さい三角形の内側にできた星形の千鳥かがり間の半分の位置を取りながら、一筆がけにします。

③ 六角形の雪片は図3のようにできた五角形の雪片の角でねじりながら一筆がけにします。次は連続かがりで、図4のように六角形の残りの片に同様の模様を作っていきます。

ハスレーン エイ ヘィウィット

図1

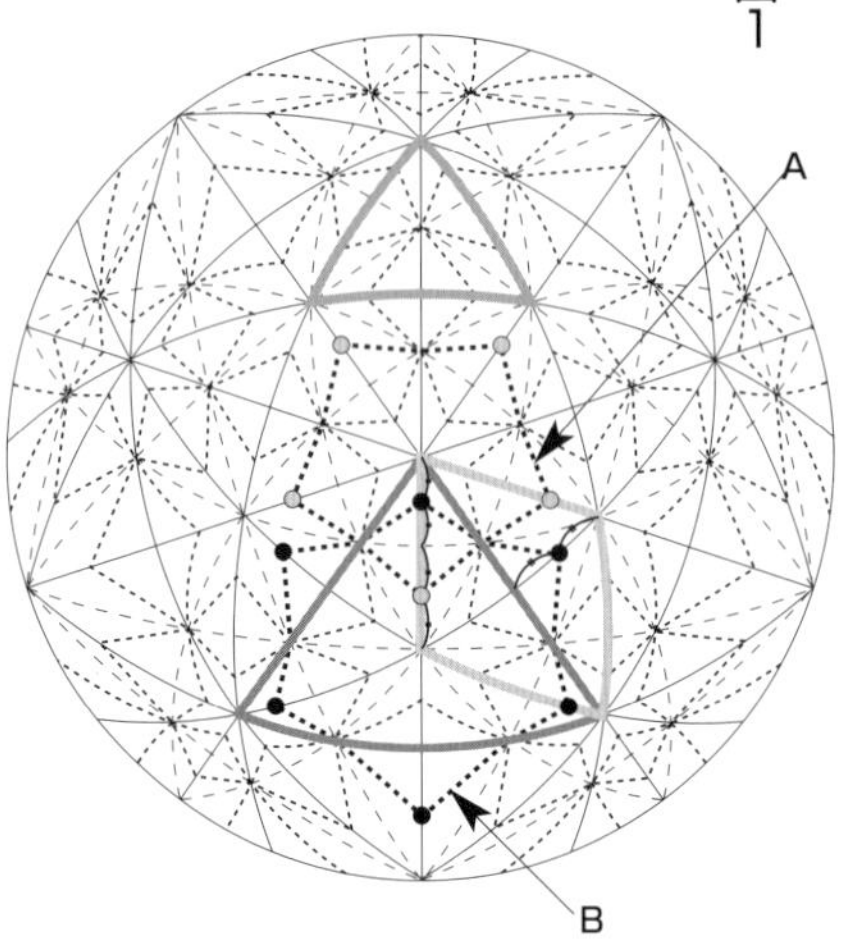

図2

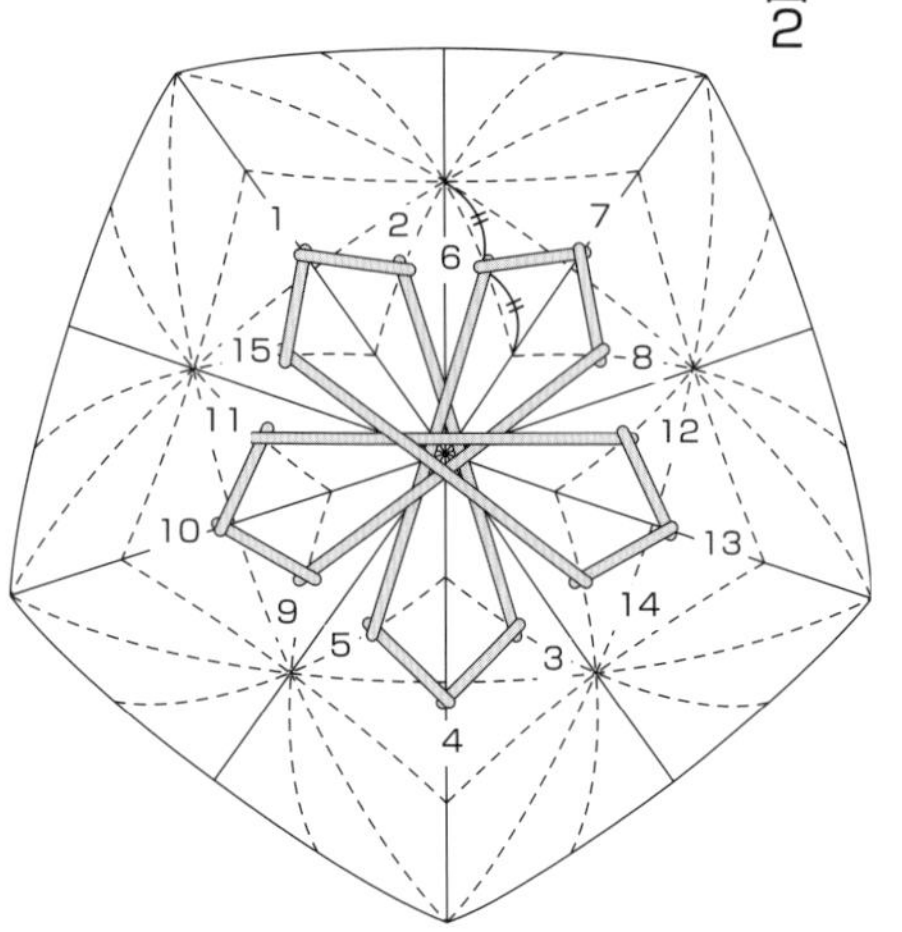

図4

図5

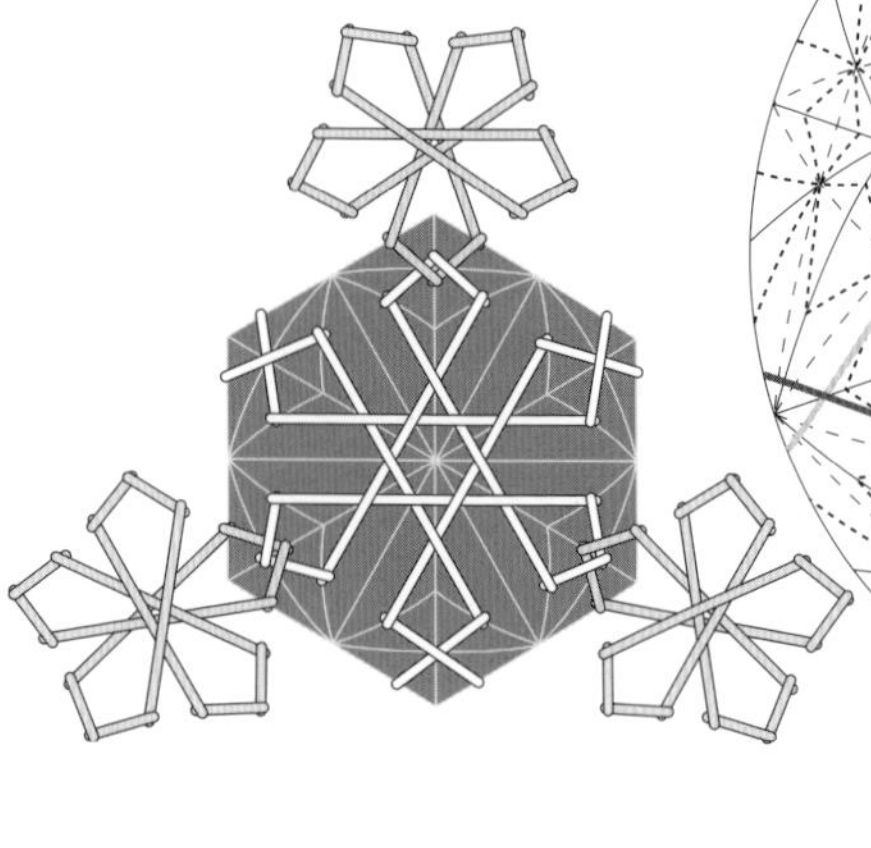

図3

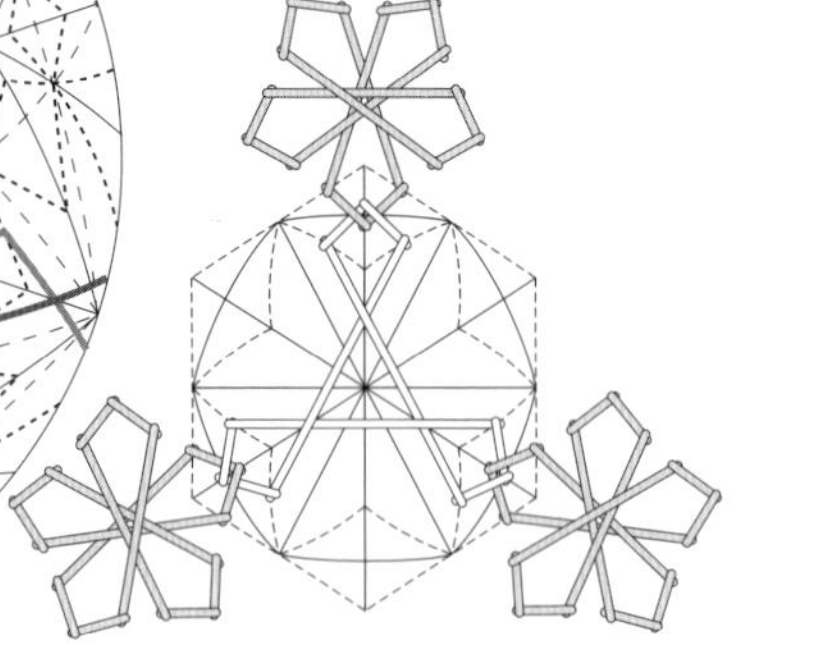

太陽と月　8等分の組み合わせ

■上級

口絵29ページ

■材料

土台まり　円周27cm

地巻き糸　薄茶地巻き糸（25番刺繍糸）

地割り糸　茶色糸（後で外す）

かがり糸　5番刺繍糸　白　黒　赤　黄　青　茶

青　黒のフェルト

① 補助線を図1のように足します。A線は菱4等分に菱4等分の短い線の半分を通ります。B線は菱の中心を通ります。（図1）

② 月（右半分）と太陽（左半分）の顔を赤道の周りにできた小さい四角に作ります。四角の短い線の1/2を地割り線、補助線にとり青でかがります。（図2）

③ 図2の丸と四角を三等分し、逆上掛け千鳥（黒1段、白3段）で左半分にかがります。（図3）

④ 赤で右半分に千鳥掛けを③の外側のかがり終わりの地点から四角の辺までの間をかがります。（図3）

⑤ 両目を黒で図4・5のように対角線ごとに、起きている目と寝ている目をかがります。（黒で三角を縁取り、内側に黒のフェルトで埋める）

⑥ 茶と黒でバッファローの角をストレートステッチでかがり、右側に星を白で松葉かがりをします。（図4・5）

⑦ 目の周りの青の糸でかがった内側を青のフェルトで埋め、顔にします。（図6）

⑧ 顔の中央を赤でジグザグに千鳥掛けします。目の周りを白で三角に縁取りし、口は赤2段、黒1段、赤2段、頬は黄、白、赤、黄の順に1段ずつストレートステッチでかがります。（図7）

⑨ 北極と南極の四角を使って篭目を編みます。

補助線aと同じ形を小さい四角の長い線の1/4幅で内側に茶で作ります。（図8）

次に地割り線全てを外します。

補助線aの内側にある凧形4つそれぞれに、短い辺は4等分、長い辺は6等分にし、黄と茶で篭目を組みます。（図9）

⑩ 茶で4つの凧形を逆上掛け千鳥掛け4段でまとめ、中央を十文字にします。（図10）

ハスレーン エイ ヘィウィット

図1

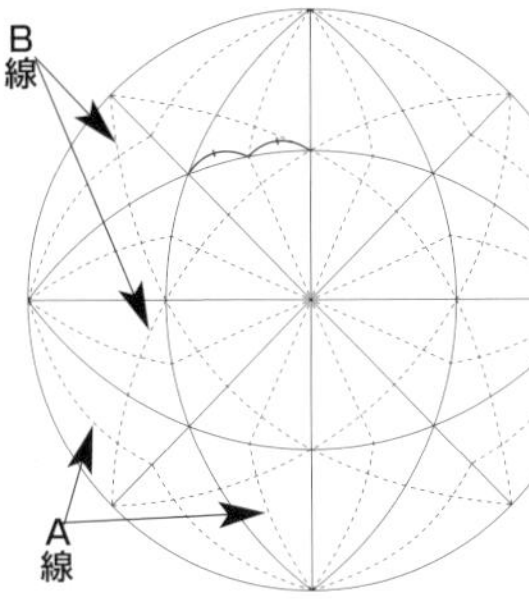

図2

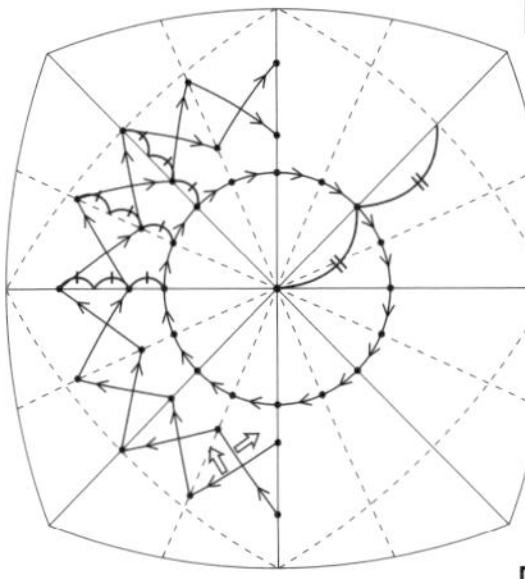

図3

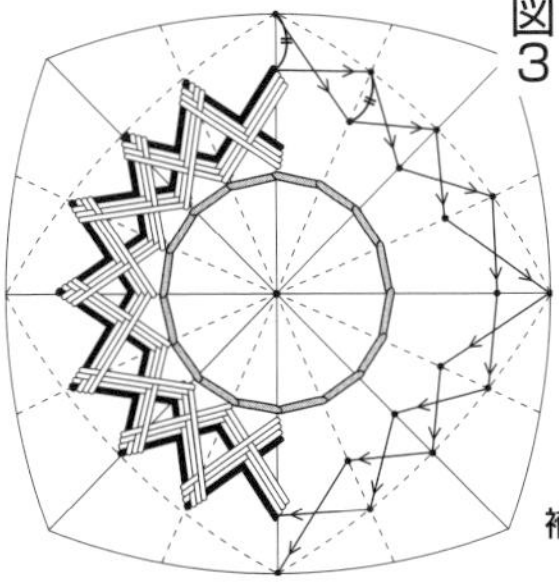

図4

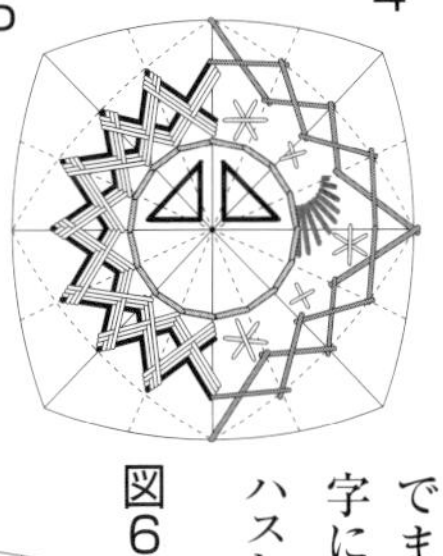

図5

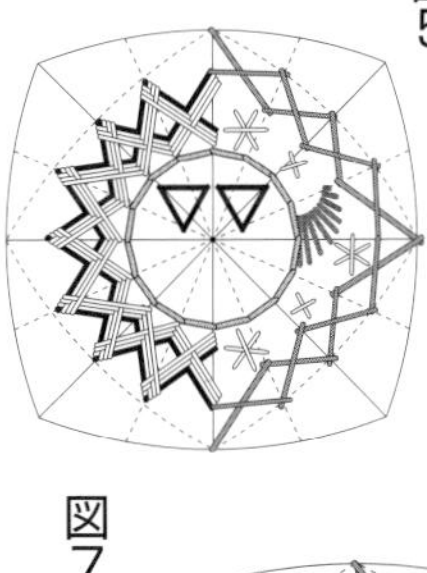

図8

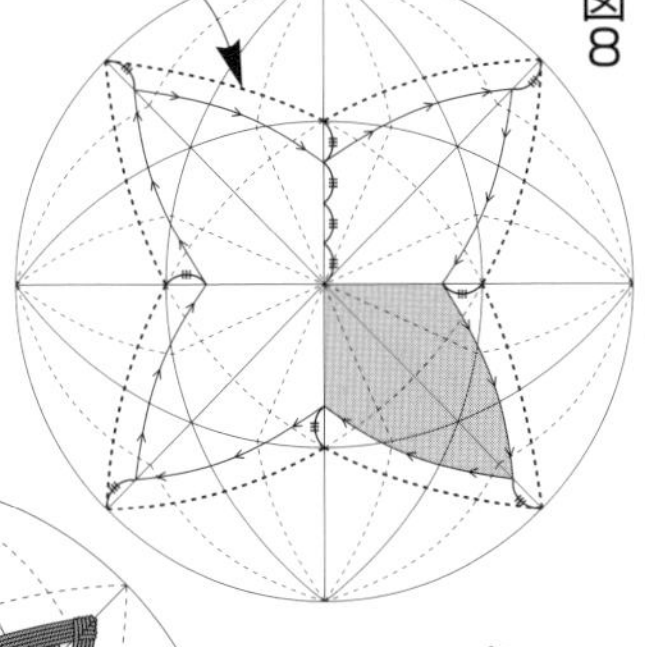

図9

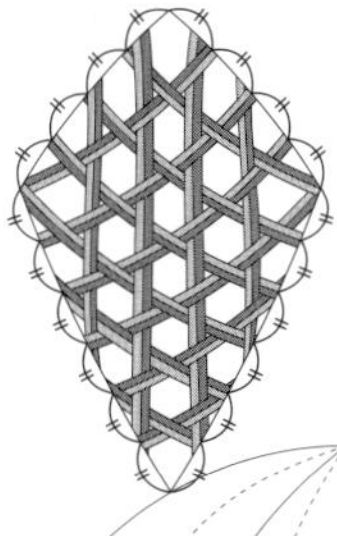

図10

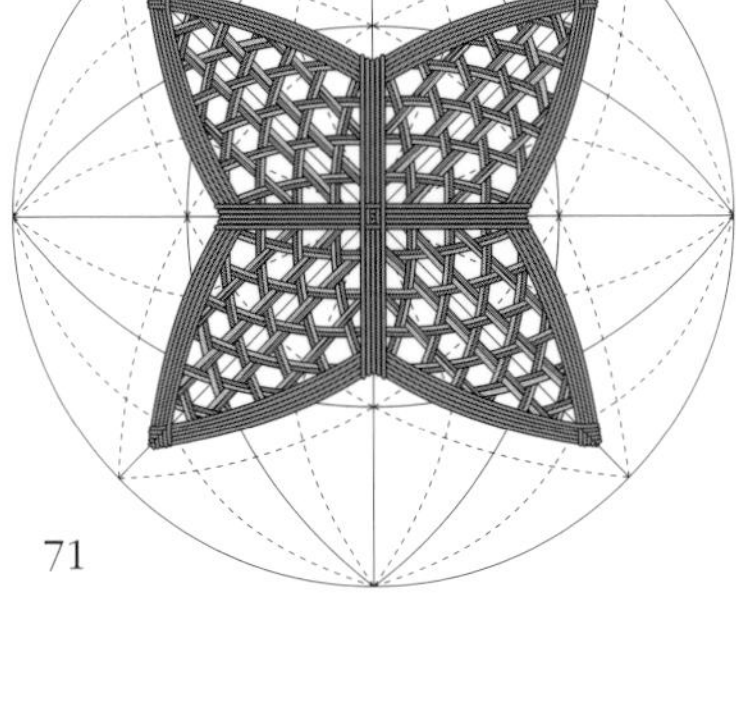

図6

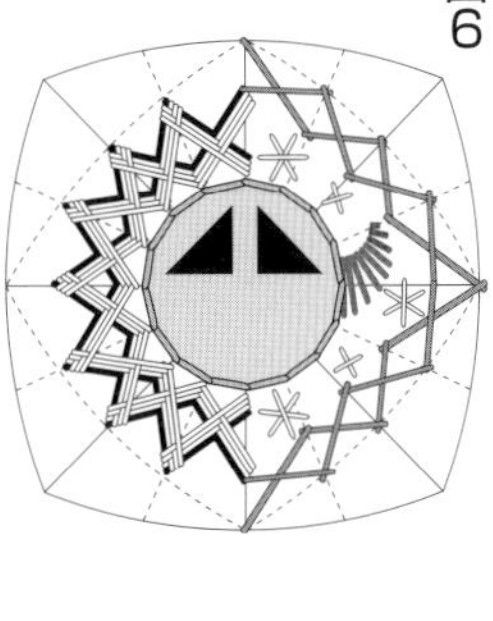

図7

ときめき　8等分

■初級

口絵28ページ

■材料

土台まり　円周26.5cm
地巻き糸　白地巻き糸
地割り糸　金ラメ糸
かがり糸　5番刺繍糸1本どり　ピンク　クリーム　空色

① 北極、赤道の1/2より赤道を通り、赤道南極の1/2を一針すくい、北極側に戻り、ピンク4段、クリーム4段、ピンク4段かがります。
② 南極側をかがるとき、地割り線を見せるように右から左へ一針、金糸の下をすくいます。
③ ②と同様に、南極側より空色、クリーム、空色と同段かがります。
④ 赤道にできた、菱の中を金糸で12等分にして、空色とピンクで松葉かがりをします。

マリー　ポール

南極側の配色

色	段数
空	4
クリーム	4
空	4

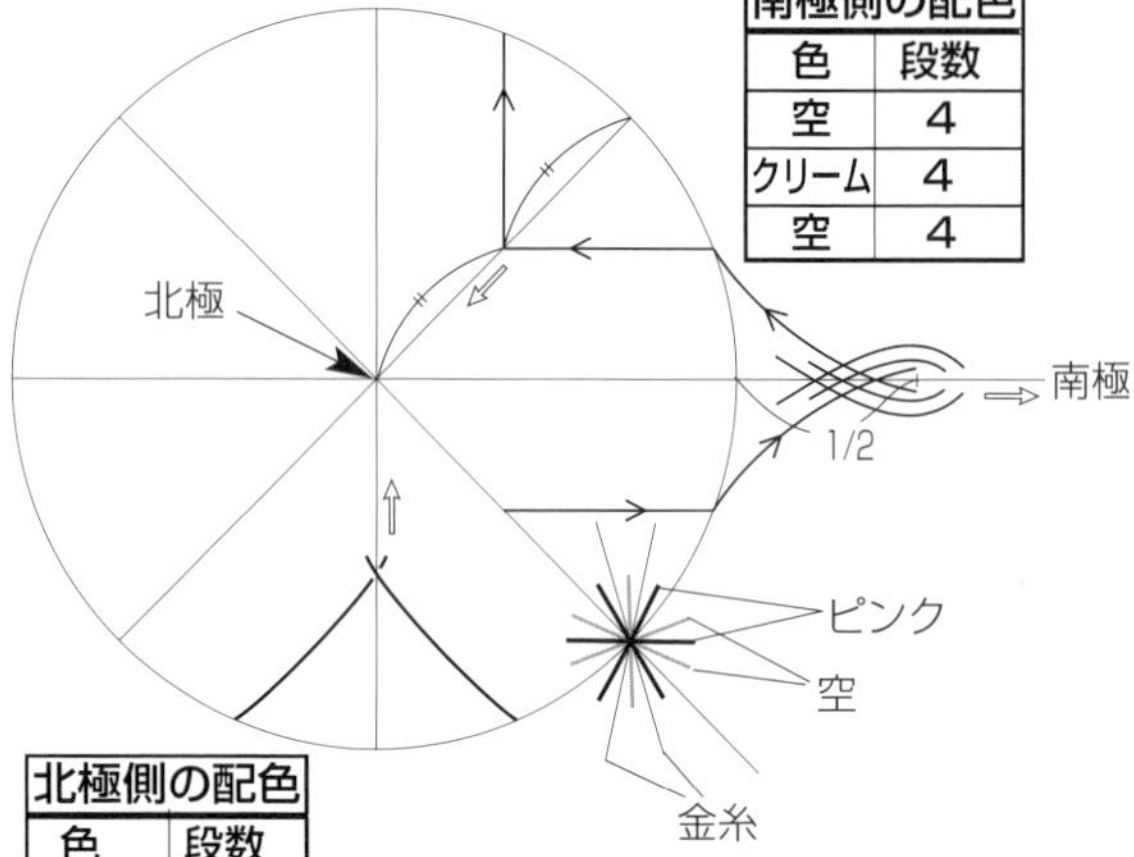

北極側の配色

色	段数
ピンク	4
クリーム	4
ピンク	4

きりん草　12等分

■初級

口絵14ページ

■材料

土台まり　円周25.5cm
地巻き糸　グレー地巻き糸
地割り糸　金細ラメ糸
かがり糸　5番刺繍糸1本どり　朱赤　薄黄　薄緑　緑　空色　黄　白

① 金細ラメ糸で12等分の地割りをします。
② 両極を1本おきに3等分し、1/3、赤道、1/3と補助線を入れ、ほかの地割り線両極1/3に六角の補助線を入れます。
③ 両極より1/6のところを上下より朱赤で、紡錘型を1段かがります。
④ 赤道より1/6上下を朱赤で1段かがります。
⑤ ③と④を交互に朱赤2段、白1段、薄黄1段、黄緑2段、緑2段かがり、最後に空色で紡錘型を3段かがり埋めます。
⑥ 紡錘型の中に黄でVかがりで、4段かがります。

谷川　文代

紡錘型の配色

色	段数
朱赤	2
白	1
薄黄	1
黄緑	2
緑	2
空	3

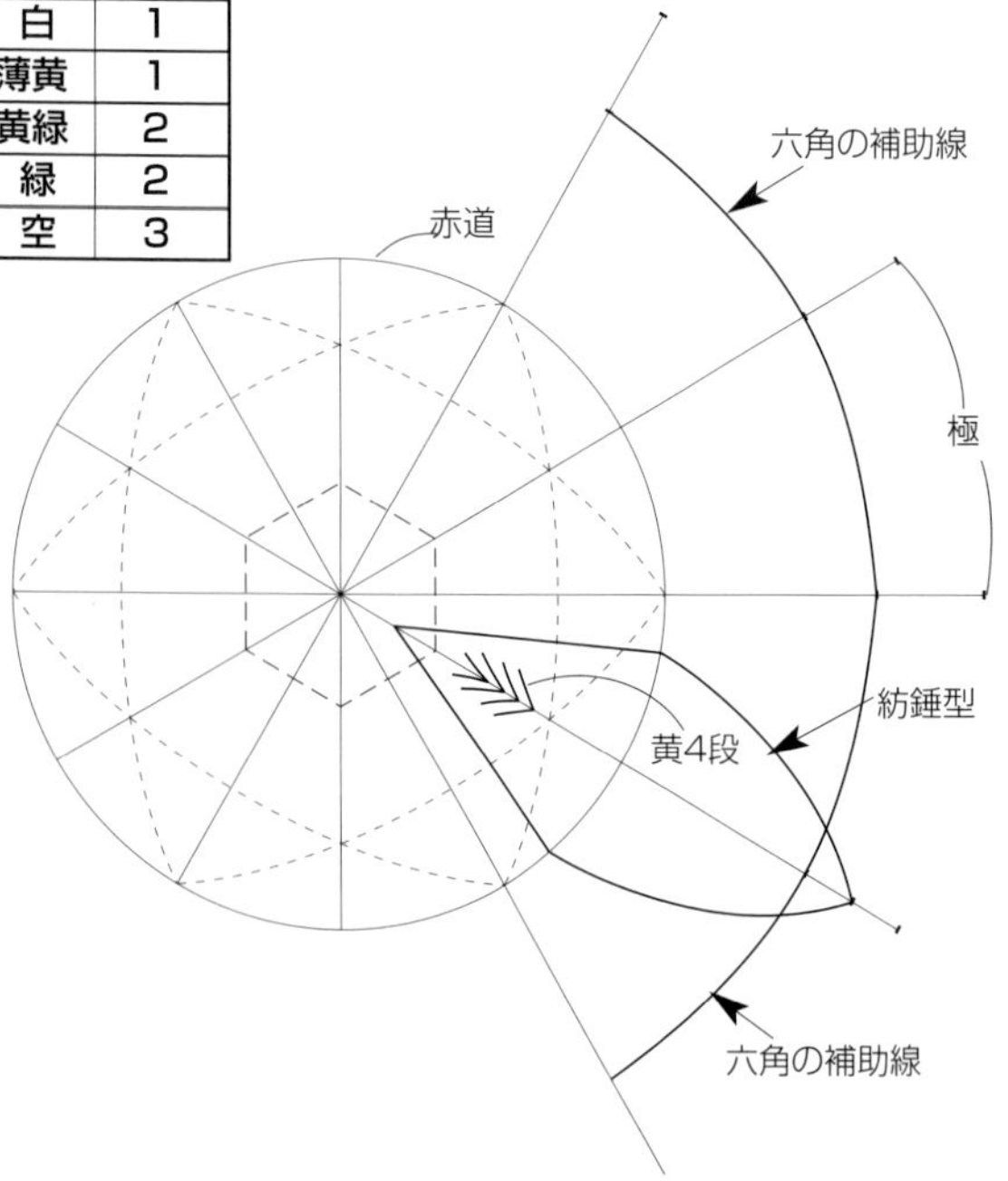

春のときめき　10等分の組み合わせ

■初級

口絵14ページ

■材料

土台まり　円周27㎝

地巻き糸　黒地巻き糸

地割り糸　細金ラメ糸

かがり糸　5番刺繍糸1本どり　ピンク　空色のテープ

① 細金ラメ糸で10等分の組み合わせの地割りをします。

② 菱形四等分の長い線の上より1/3からテープを出し、三角6等分の中心を通りながら、五角をかがります。

③ ②でかがった五角の角を結んで、五角の中心に花形を入れます。

④ ③でできた菱の長い線上に、ピンクでレゼーデージーステッチをかがります。

佐藤　しづえ

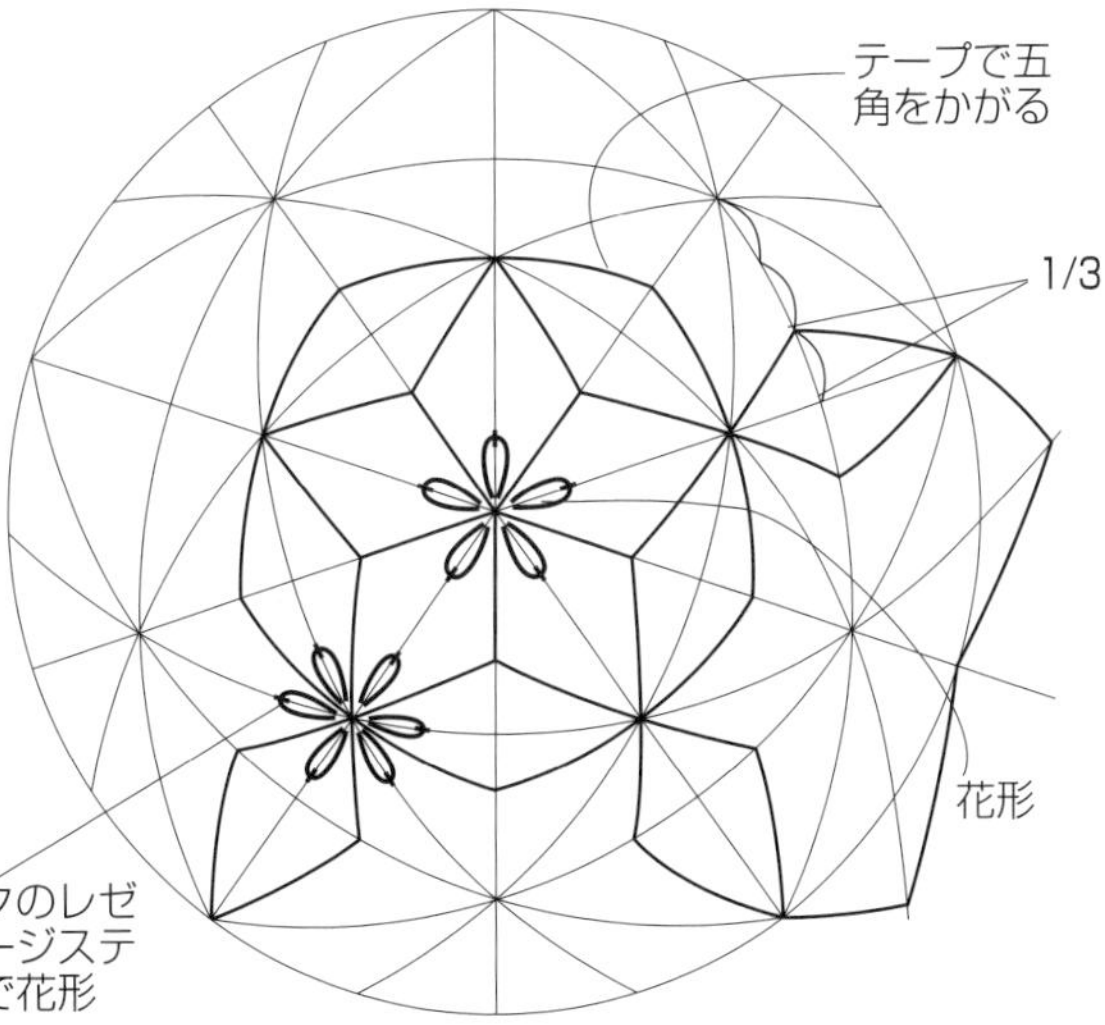

紅白ぶりぶり　12等分

■初級

口絵25ページ

■材料

土台まり　円周31.5㎝

地巻き糸　えんじ地巻き糸

地割り糸　金ラメ糸

かがり糸　5番刺繍糸1本どり　白　朱赤　黄　赤ラメ糸

① 金ラメ糸で12等分（赤道あり）の地割りをします。

② 赤道の上下を黄で1段巻きます。

③ 赤道より1/3上より白で紡錘型の半分をかがり、地割り線を一幅空けて戻ります。

④ ③の一幅空いているところに、朱赤で一幅空けて紡錘型を1段かがります。

⑤ 帯は白、朱赤を交互に10段かがります。

⑥ 赤道にできた枡形の周りを赤ラメ糸で1段かがります。

⑦ 両極に白と朱赤で長さを変えて松葉かがりをします。

黒田　幸子

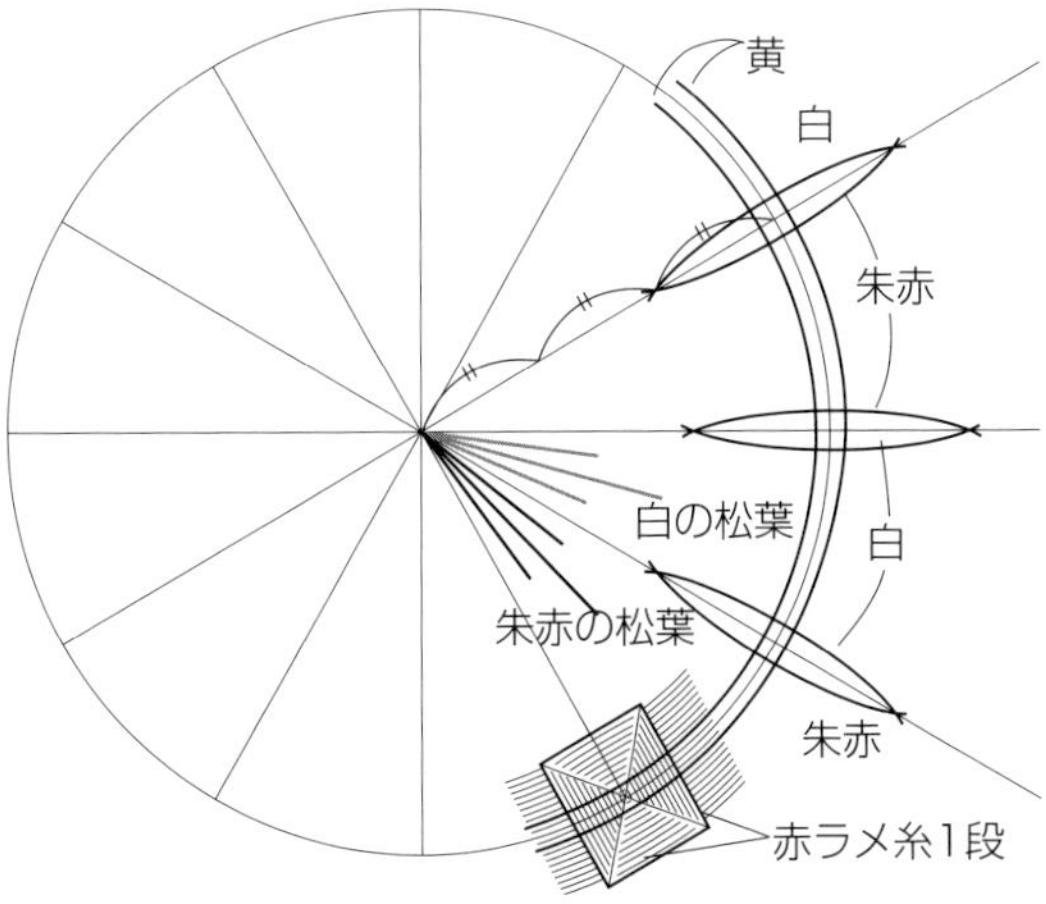

紡錘型松葉　8等分の組み合わせ

■初級　口絵24ページ

■材料

土台まり　円周23㎝

地巻き糸　薄茶地巻き糸

地割り糸　茶色糸

かがり糸　5番刺繍糸　白　ベージュ　薄茶　茶　こげ茶　緑　黄　オレンジ　細金ラメ糸

① 茶の5番刺繍糸で8等分の組み合わせの地割りをします。

② 四角8等分の地割りに沿って1/2より紡錘型を中心で四つ組みにしながら、左右色を替えながら5段かがります。

③ 細金ラメ糸2本どりで紡錘型左右を連続で1段かがります。

④ 三角6等分の中に白、緑、黄3色で4本ずつ中心をくぐらせながら4本ずつかがり、各色の間に細金ラメ糸2本どりで松葉かがりをします。

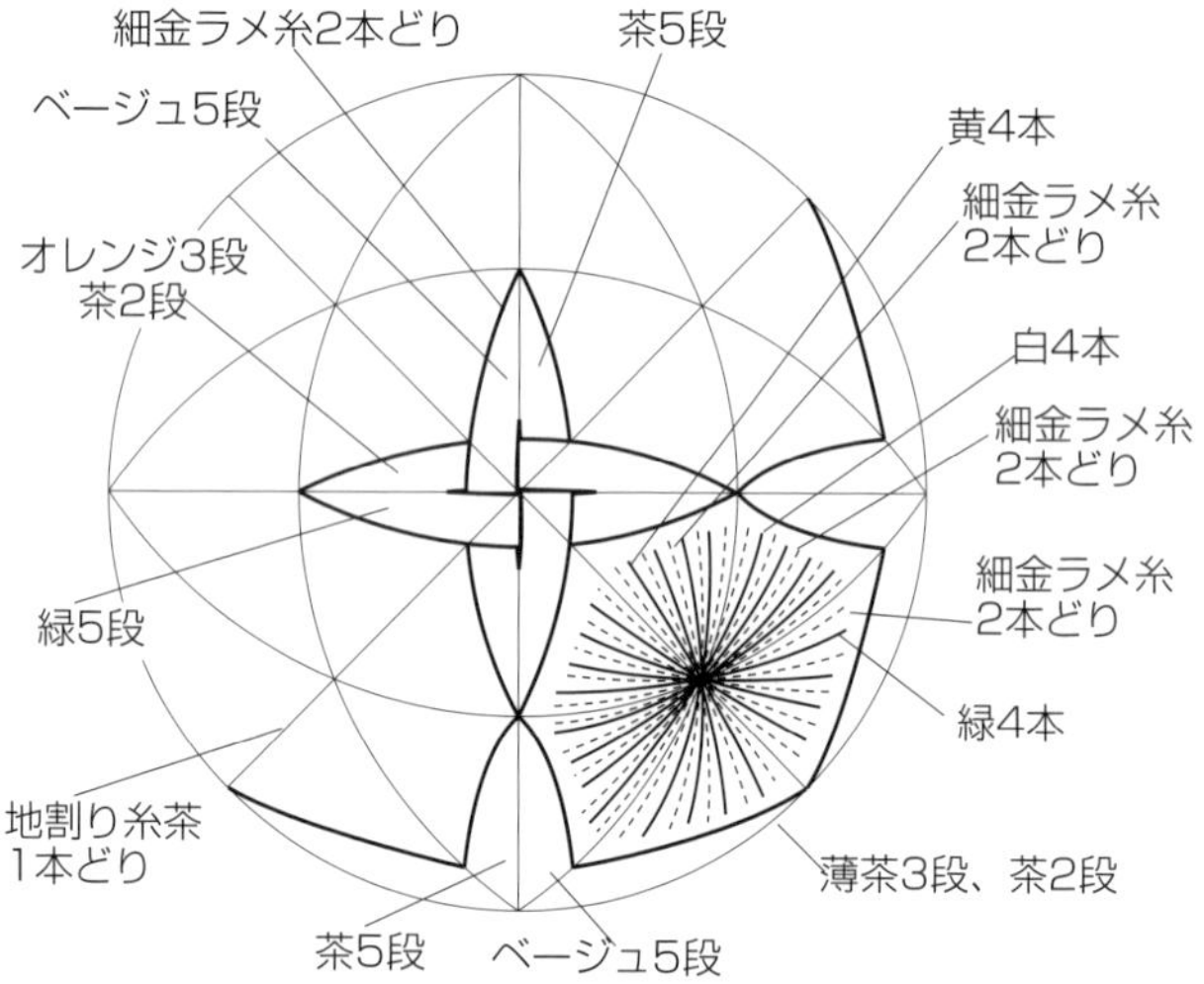

日の出前　12等分

■初級　口絵21ページ

■材料

土台まり　円周33.5㎝

地巻き糸　空色地巻き糸

地割り糸　細銀ラメ糸

かがり糸　絹糸　白　薄ピンク　ピンク　薄藤　えんじ　金ラメ糸　銀ラメ糸　細銀ラメ糸

① 細銀ラメ糸で12等分の地割りをします。

② 赤道より0.5㎝上より1本おきに金ラメ糸を赤道で交差しながら0.5㎝間隔で4段入れます。

③ ②の上に銀ラメ糸で同じように2段かがります。

④ 絹糸に替え、白4段、薄ピンク2段、ピンク2段、薄藤2段、えんじ2段を上下にかがります。

⑤ 金ラメ糸で赤道の交差点を巻きかがりで止め、両極にえんじで3本ずつの松葉を入れます。

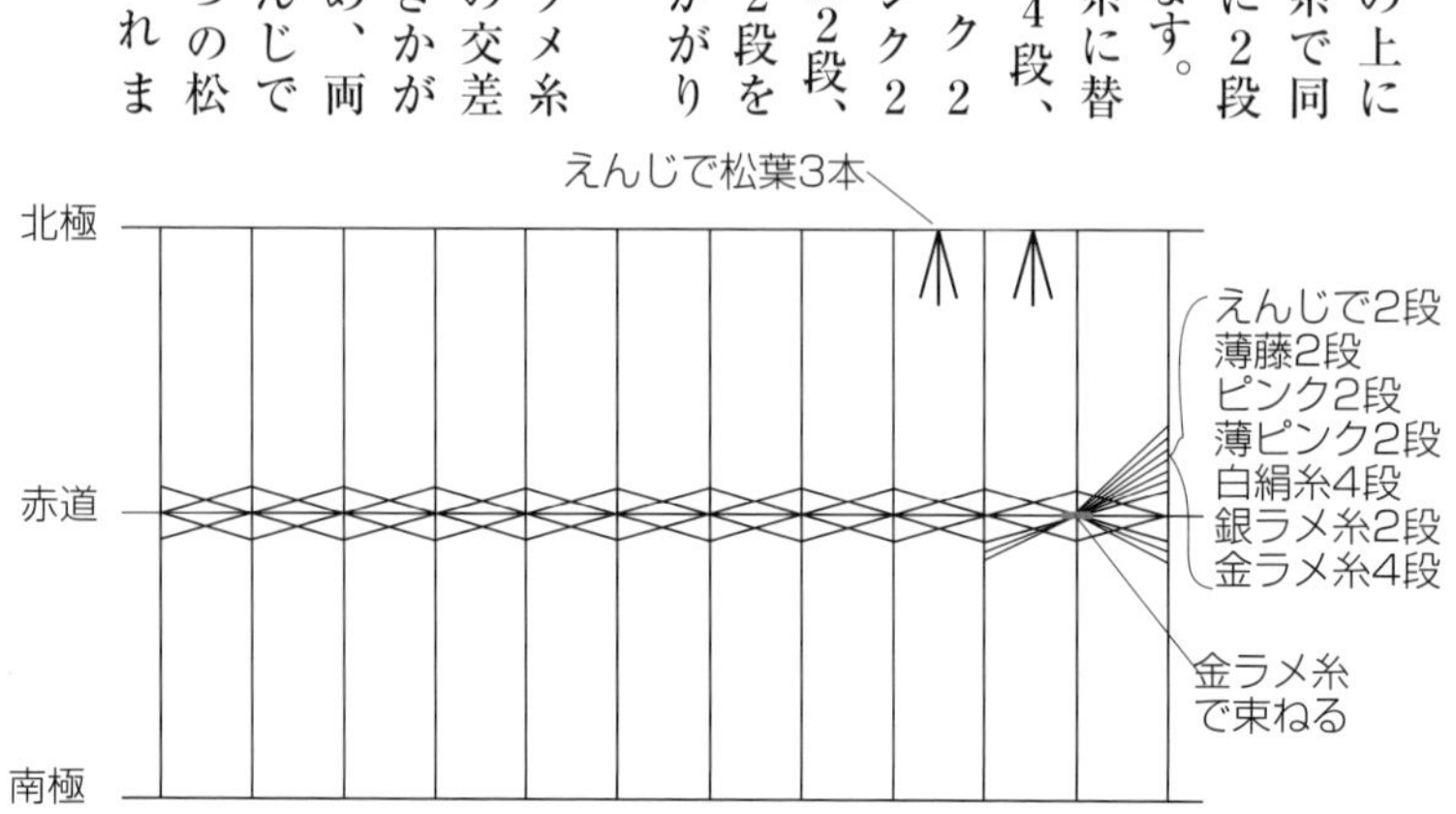

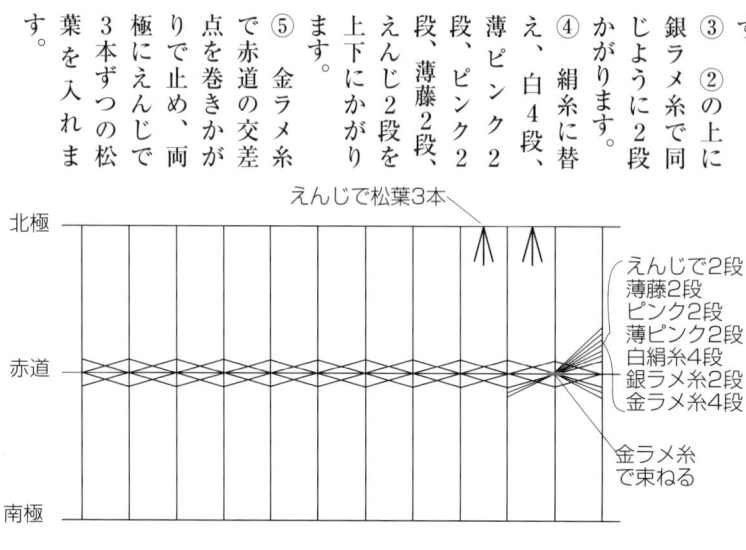

夫婦鶴

8等分の組み合わせ　■中級

口絵1ページ

■材料

土台まり　円周32㎝

地巻き糸　赤地巻き糸

地割り糸　しつけ糸

かがり糸　25番刺繍糸　白（2本どり・1本どり）　金ラメ糸　銀ラメ糸

① 赤しつけ糸で8等分の組み合わせの地割りをします。

② 両極の菱3個ずつを残し、赤道上の菱6個に麻の葉をかがります。

③ 両極の菱に接する辺は5等分し、隣りに接する辺は4等分にし、小さな三角を白2本どりで作り、中に白1本どりでY字をかがり、麻の葉にします。

④ 両極にしつけ糸で鶴の輪郭を取り、中を白2本どりのサテンステッチでかがります。

⑤ 金ラメ糸、銀ラメ糸でそれぞれの鶴の輪郭をかがります。

新妻　栄子

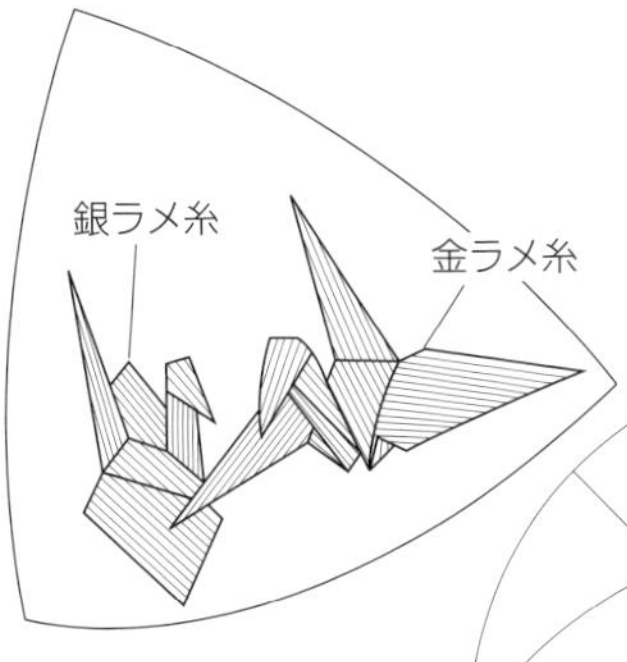

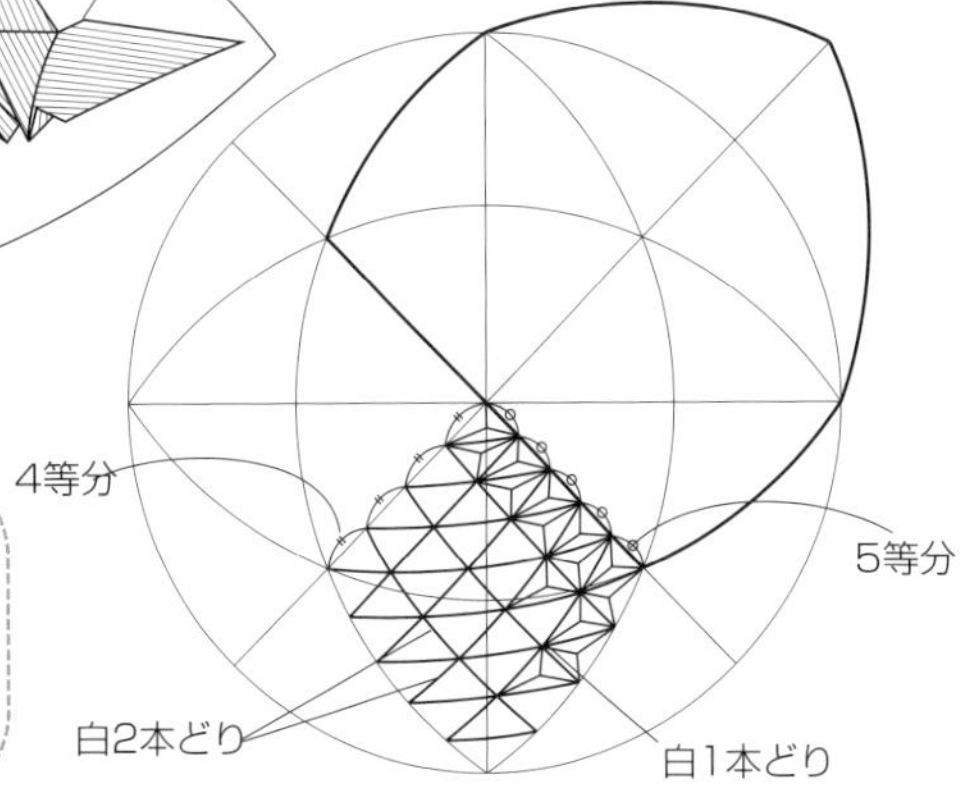

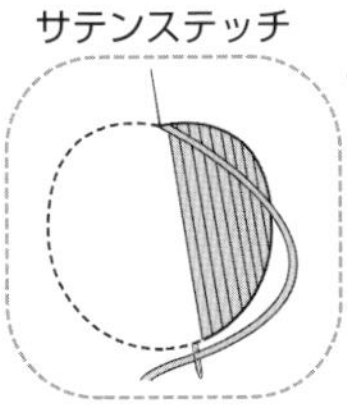

夜空の星

10等分の組み合わせ　■中級

口絵7ページ

■材料

土台まり　円周35㎝

地巻き糸　黒地巻き糸

地割り糸　しつけ糸

かがり糸　京てまり糸1本どり　黄　青　赤ラメ糸　緑ラメ糸

① しつけ糸で10等分の組み合わせの地割りをします。

② 五角の中心から隣りの五角の中心までを6等分する122面体にします。

③ 五角の中に黄で長短をつけた松葉かがりをし、短い松葉かがりの先をくぐらせながら花をかがり、中心を赤ラメ糸で止めます。

④ 六角の中に③と同様の花をかがります。

⑤ ③と④の花の間に麻の葉かがりの花を青でかがり、中心を緑ラメ糸で止めます。

松下　良子

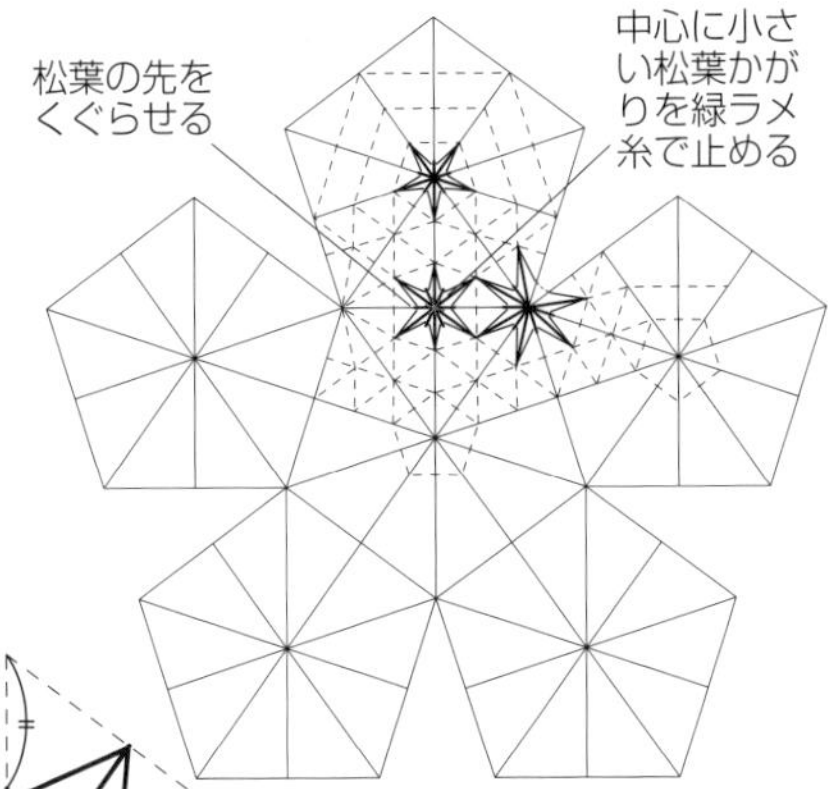

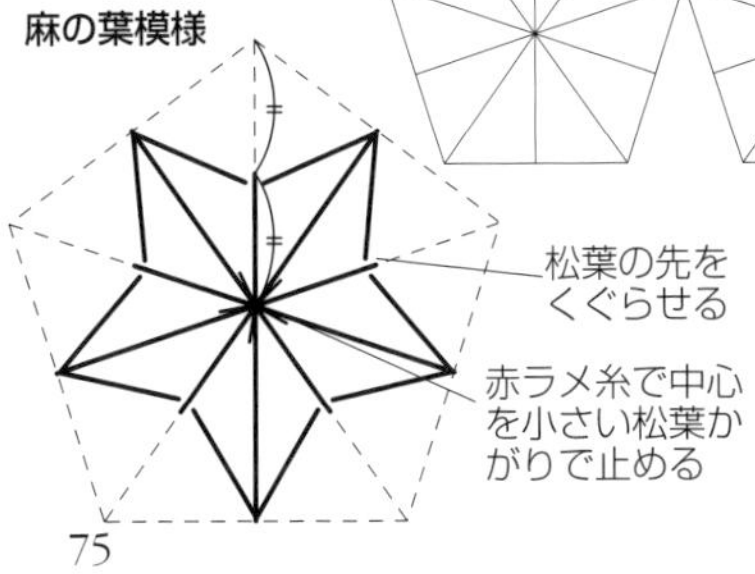

束ね熨斗　8等分

■中級
口絵5ページ

■材料

土台まり　円周29㎝
地巻き糸　黒地巻き糸
地割り糸　金ラメ糸
かがり糸　5番刺繍糸　黒　赤　白　黄土　緑　紫　金ラメ糸

① 金ラメ糸で8等分の地割りをします。
② 下図のように両極から0.2㎝、赤道から1.5㎝の間を5等分して、ピンを打っておきます。
③ A点から金ラメ糸1段、黄土色12段で1.5㎝のピンを通って、5等分の幅分をリボン巻き(赤道のところも平らになるように巻く)にします。
④ B・C・D点からも同じように巻きます。
⑤ イ・ロ・ハ・ニ点を黒12段で巻き埋めます。
⑥ 次からは白・黒・赤・黒・緑・黒・紫・黒と巻いていきます。
⑦ 最後の黒が巻き終わった時点で、A・B点から金ラメ糸3本で十字に巻きます。
⑧ 赤道上に赤・金ラメ・赤で巻き糸を止めながら、帯かがりをします。

菅家　明子

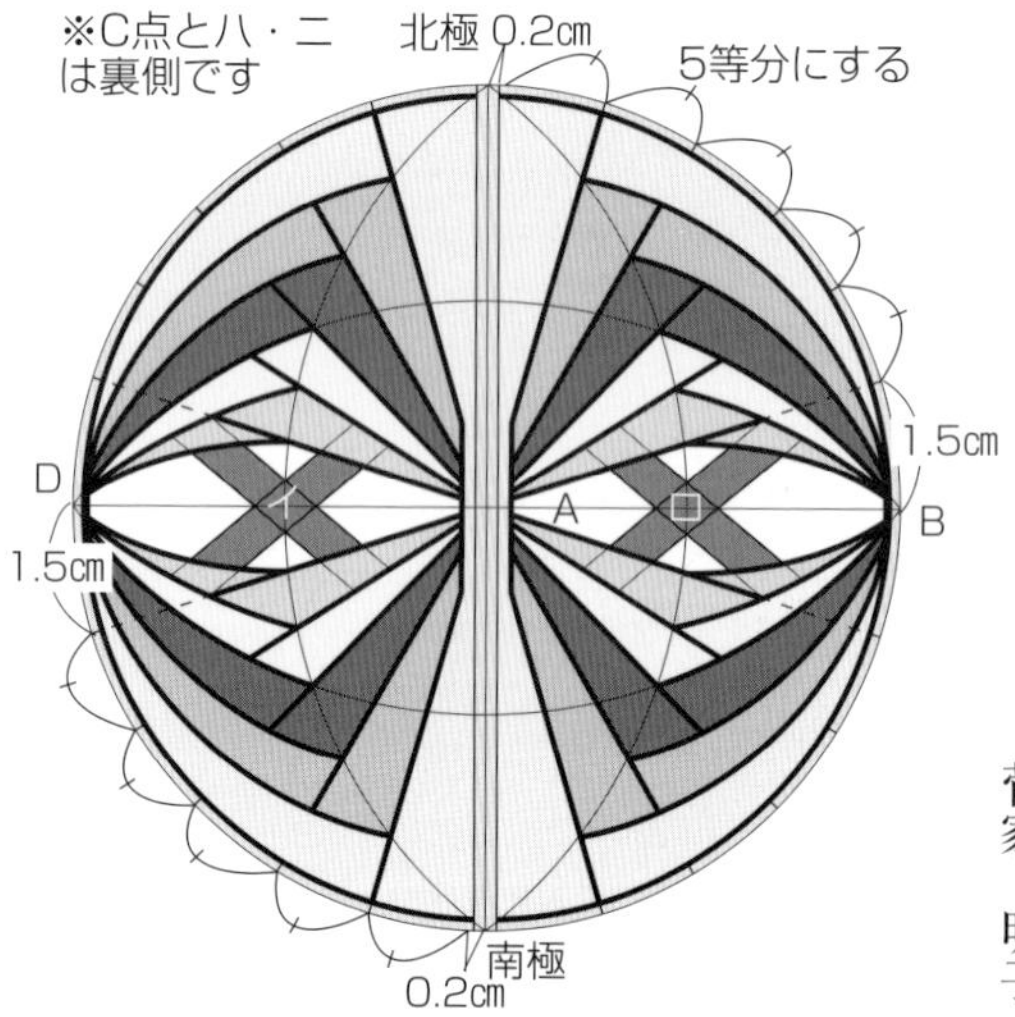

枡重ね　8等分の組み合わせ

■中級
口絵23ページ

■材料

土台まり　円周28.5㎝
地巻き糸　黒地巻き糸
地割り糸　金ラメ糸
かがり糸　5番刺繍糸1本どり　オレンジ　ベージュ　薄緑

① 金ラメ糸で8等分の組み合わせの地割りをします。
② 四角8等分の中心の長い線をオレンジで5段、四角をかがります。
③ ②でかがった四角の角を通るようにベージュで6段、四角をかがります。
④ ③でかがった四角の角を通るようにオレンジで6段、四角をかがります。
⑤ 四角8等分の短い線の0.5㎝入ったところよりベージュ2段、オレンジ2段、緑1段かがり、ほかの四角とは、ねじりながら6個かがります。
⑥ 三角6等分に⑤の四角をねじりながら、ベージュ2段、オレンジ2段、緑1段の三角をかがります。

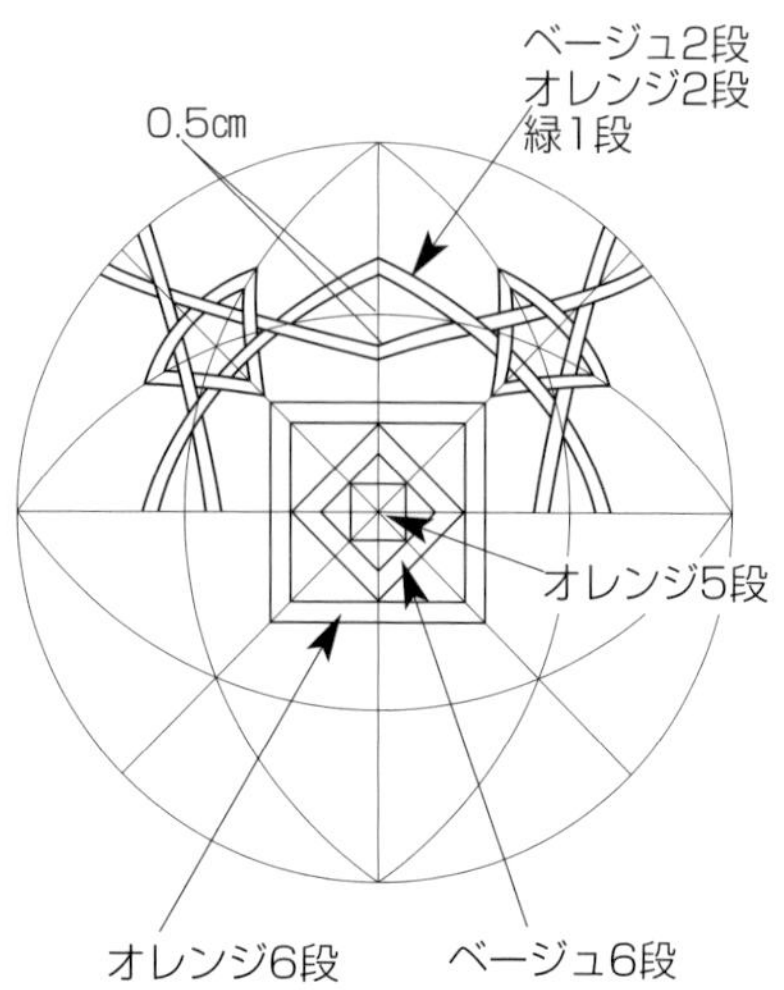

かがり火　16等分

■中級

口絵32ページ

■材料

土台まり　円周34.5cm
地巻き糸　黒地巻き糸
地割り糸　金ラメ糸
かがり糸　京てまり糸　赤　緑　空色　紺　黒
銀ラメ糸　金ラメ糸

①　金ラメ糸で両極を16等分の地割りをします。

②　地割り線1本おきに北極と赤道の1/2から斜め1/4に金ラメ糸で補助線を入れます。南極側は北極側で入れないところに入れます。

③　②で入れた補助線に、外側に赤1本、内側に緑4本、外側に赤1本を赤道で交差させながらかがります。

④　③の間に金ラメ糸5本で同じようにかがり、赤道を黒で3回ずつ巻きかがりをします。

⑤　両極に逆上掛けの花を空色1段、紺2段、銀ラメ糸1段、空色1段、紺1段かがります。

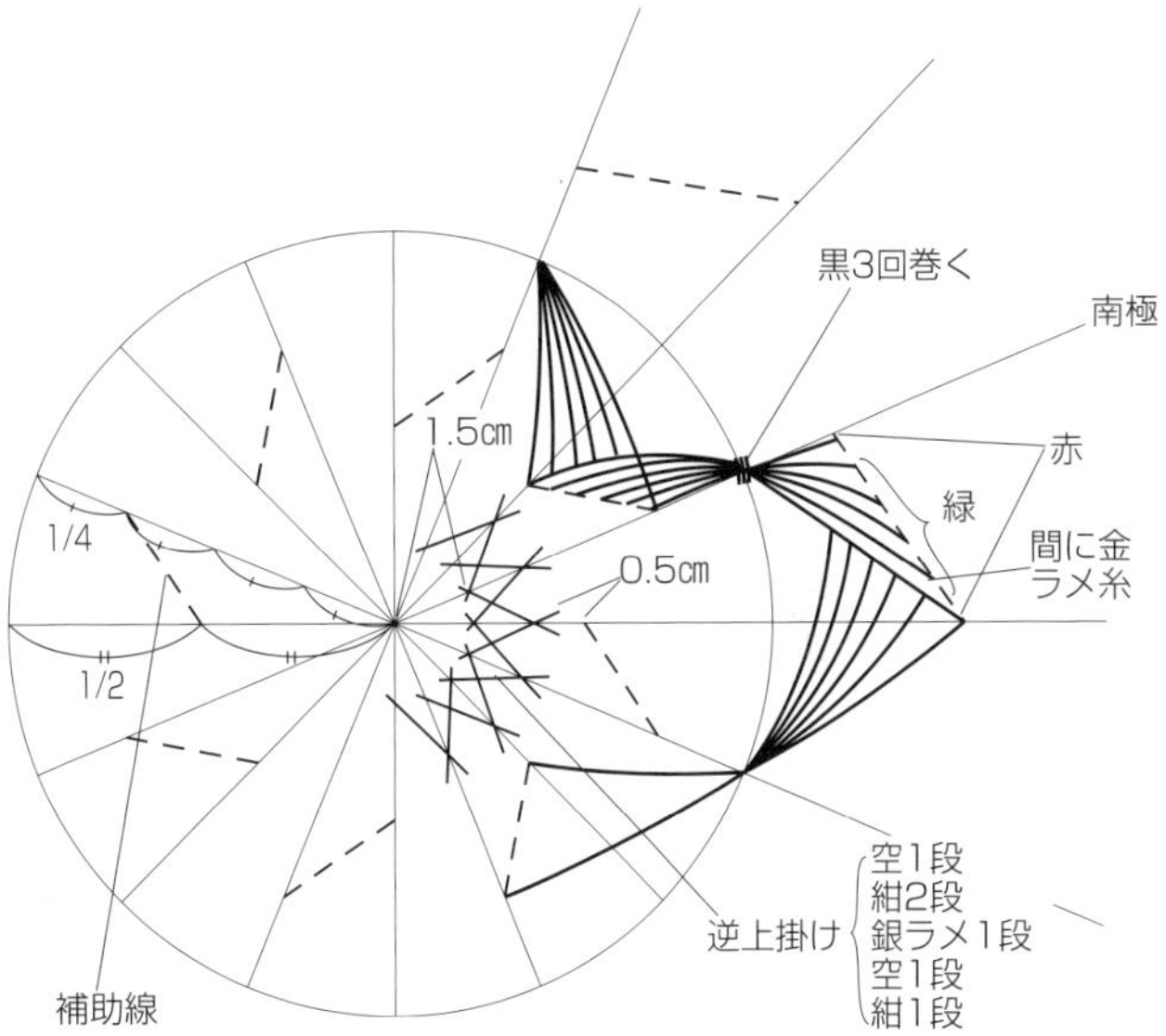

万華鏡Ⅱ　10等分の組み合わせ

■中級

口絵30ページ

■材料

土台まり　円周33.5cm
地巻き糸　黒地巻き糸
地割り糸　細ラメ糸
かがり糸　5番刺繍糸　薄緑　空色　濃ピンク

①　細ラメ糸で10等分の組み合わせの地割りをします。

②　五角10等分の長い線を1/2にする補助線を入れて、五角12個、六角30個を作ります。

③　新しくできた六角の短い線に白4段、薄緑4段、空色4段の中心をねじりながら紡錘型にかがります。

④　五角は濃ピンク2段を白の紡錘型にねじりながらかがり、中心を2回巻きかがりで止めます。

黒田　幸子

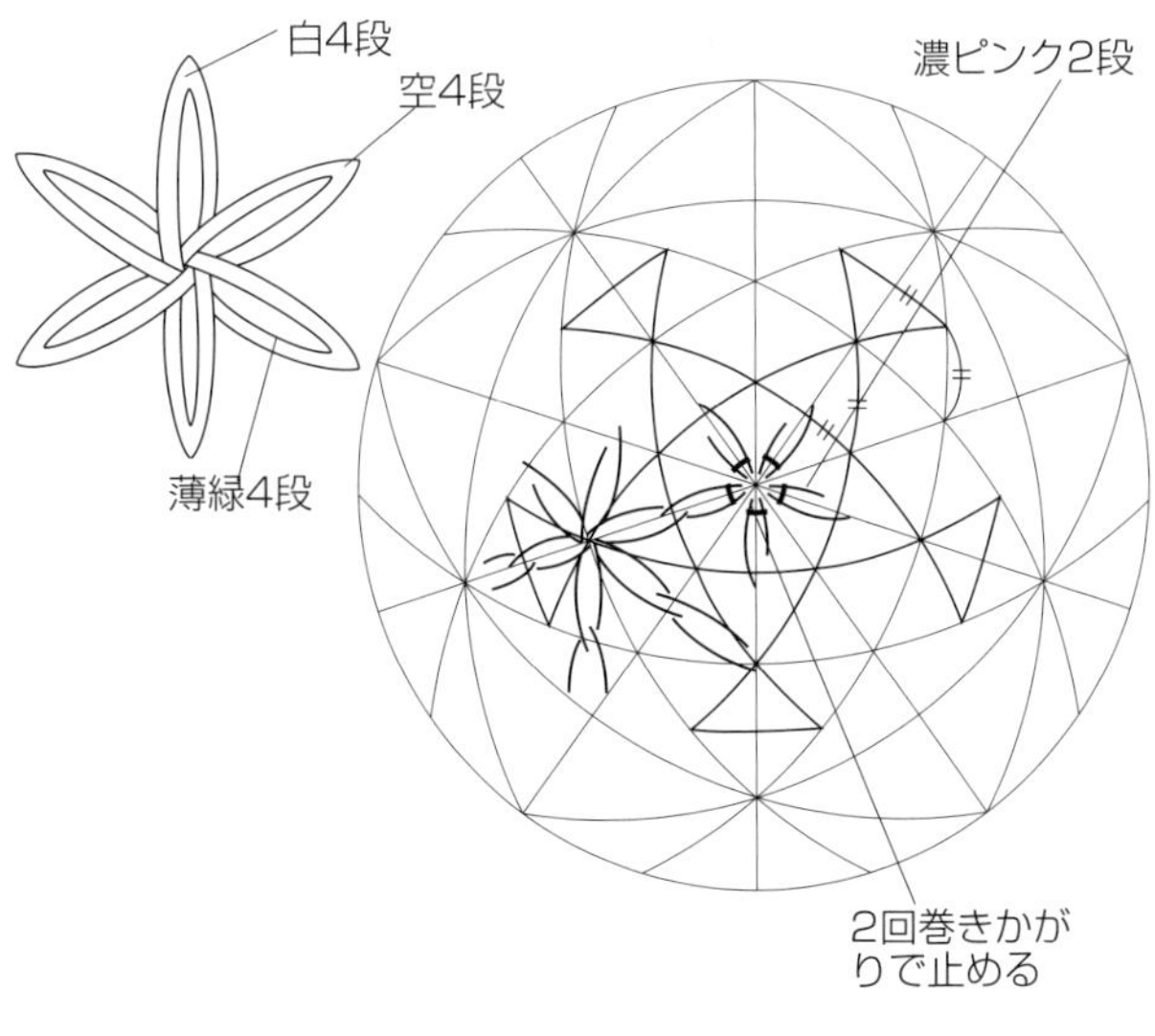

ねじり巴　10等分の組み合わせ

■中級

口絵24ページ

■材料

土台まり　円周32㎝

地巻き糸　ピンク地巻き糸

地割り糸　しつけ糸

かがり糸　25番刺繍糸　紫　ピンクぼかし

① しつけ糸で10等分の組み合わせの地割りをします。

② 補助線を入れて五角12個、六角30個にします。

③ 五角、六角の中心を3本どりで3段かがります。

④ ③の五角、六角の一辺に沿わせるように三つ型をピンクぼかし糸3本どりでかがります。

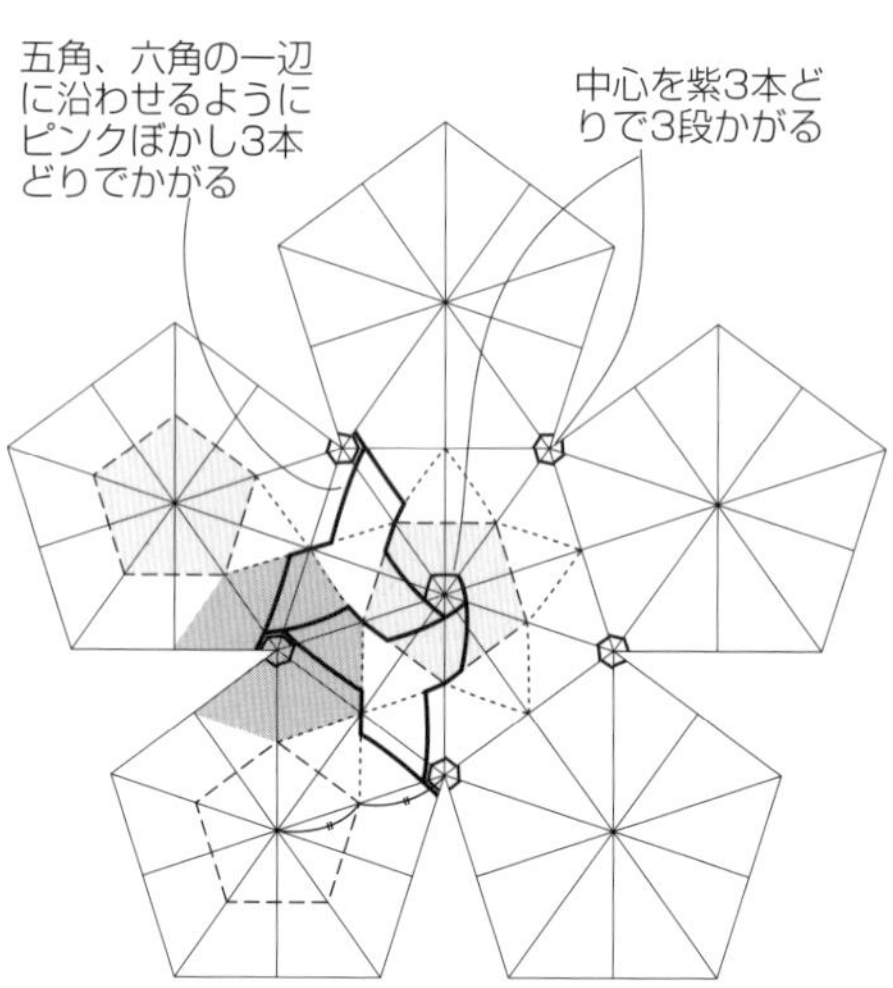

流れ星　30等分

■中級

口絵7ページ

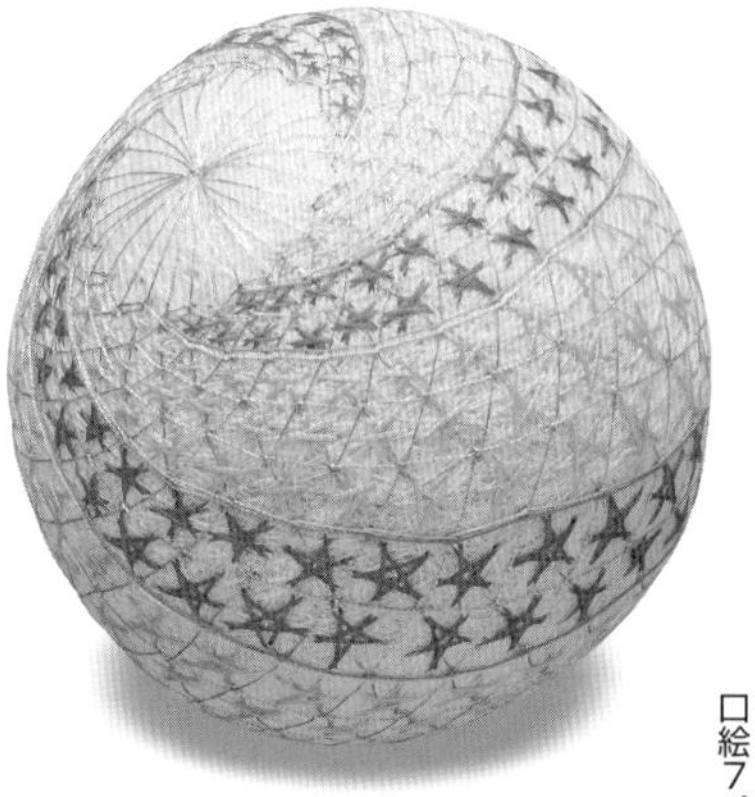

■材料

土台まり　円周34㎝

地巻き糸　白地巻き糸

地割り糸　細金ラメ糸2本どり

かがり糸　25番刺繍糸2本どり　濃赤　黄　緑

白　赤

① 細金ラメ糸2本どりで30等分の地割りをします（赤道なし）。

② 北極より2㎝下より南極までを寸法を少しずつ増しながら1本おきに12に割っていきます。

③ 隣の地割り線はずらしながら12に割ります。

④ 地割り線3本で赤道が一番大きい菱になるようにずらしながら菱を作ります。

⑤ ④でできた菱の中に濃赤2本どりと黄2本どりで、それぞれの星を一つずつ入れます。

⑥ 赤と黄の境を赤、緑、白1本でかがります。

⑦ 両極側の山型の上を細金ラメ糸で地割り糸に沿って山型を1段かがります。

小出　孝子

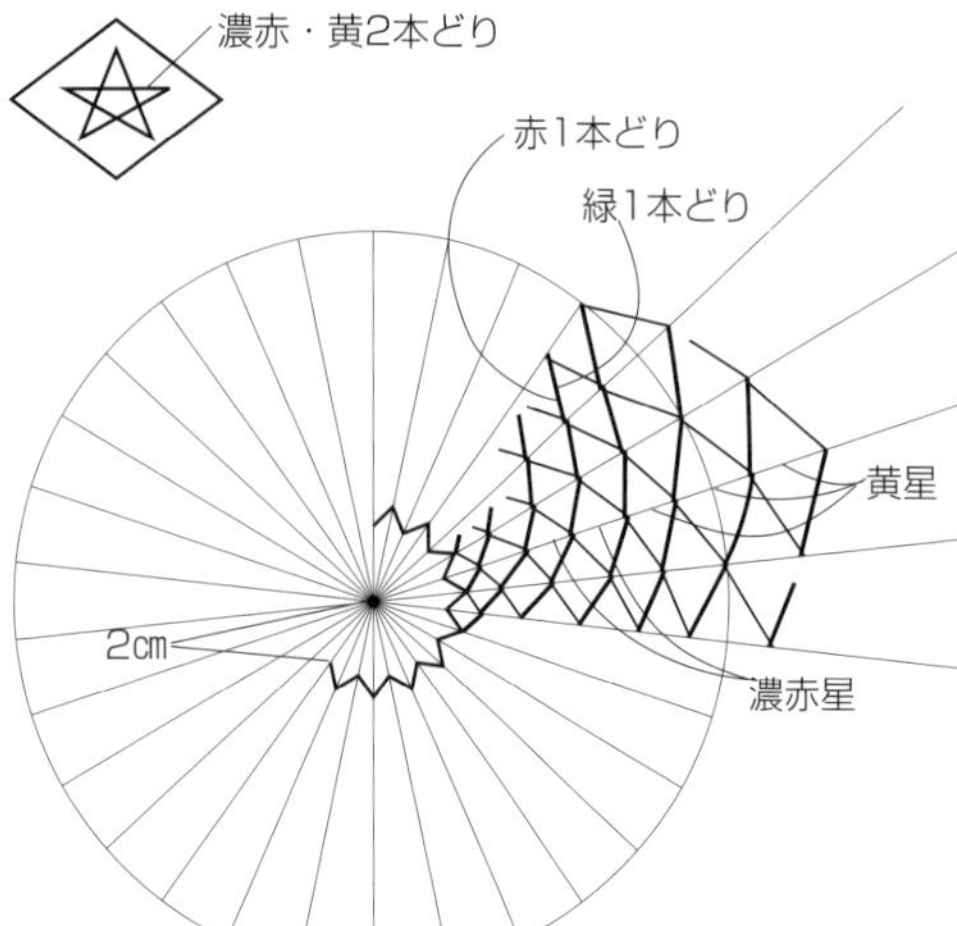

積木重ね　10等分の組み合わせ ■中級

口絵23ページ

■材料
土台まり　円周32cm
地巻き糸　赤地巻き糸
地割り糸　しつけ糸
かがり糸　5番刺繍糸1本どり　赤濃淡5色ピンク

① しつけ糸で両極を10等分の組み合わせの地割りをします。
② 菱の中心を結ぶ補助線を入れます。
③ 両極の五角に濃赤1段かがります。
④ ③の五角の内側の一辺から五角の中心2か所、菱の中心4か所を通る六角を10か所と新しい五角の中心を通る大きな五角を交互に濃赤1段かがります。
⑤ ③と④を交互に赤濃淡、ピンクと11段かがります。
⑥ 地割りのしつけ糸を取ります。

東出　澄子

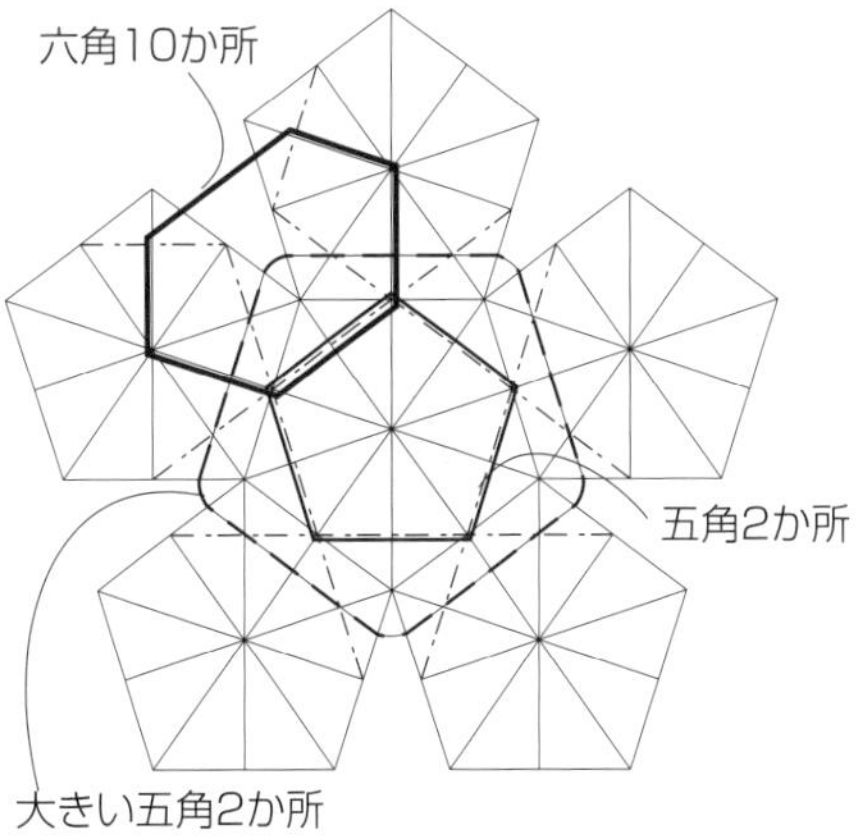

五角・六角の配色	
色	段数
濃赤	1
赤	2
朱赤	2
朱	2
薄朱	2
ピンク	2

矢羽根車　10等分の組み合わせ ■中級

口絵6ページ

■材料
土台まり　円周29cm
地巻き糸　黒地巻き糸
地割り糸　しつけ糸
かがり糸　草木染風木綿糸　黒　白　ベージュ

① しつけ糸で10等分の組み合わせの地割りをします。
② 菱の1/2より黒で9段で菱をかがります（全部の菱）。
③ 白とベージュを五角にかがりますが、そのとき、黒の糸を始め2本、次から1本ずつ増しながら五角をかがります。
④ 最後に五角の角の上に黒1本渡します。
⑤ 地割りのしつけ糸を取り除きます。

菅家　明子

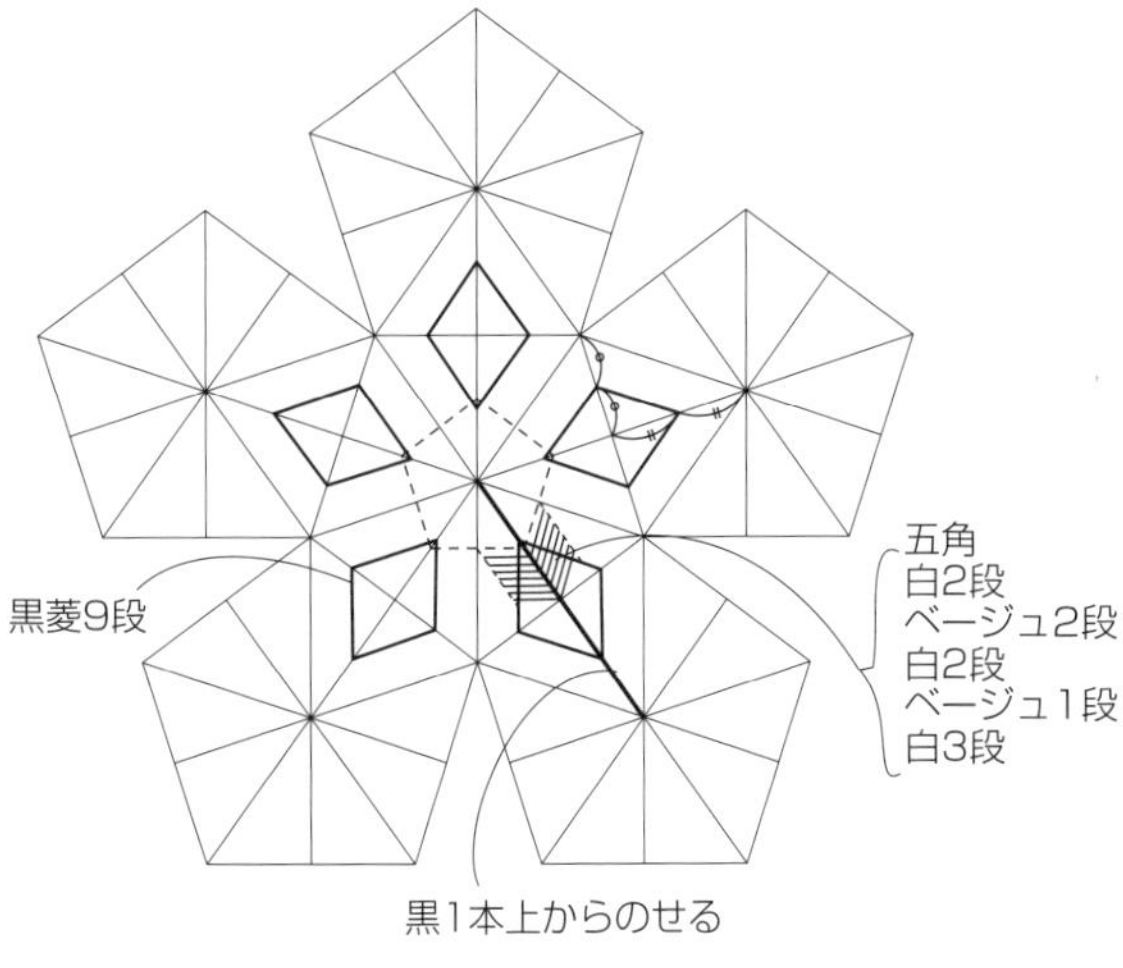

冬日　10等分の組み合わせ　■中級

口絵20ページ

■材料
土台まり　円周32㎝
地巻き糸　濃紺地巻き糸
地割り糸　細ラメ糸
かがり糸　草木染風木綿糸　紺　青　水色　白（京てまり糸）

① 細ラメ糸で10等分の組み合わせの地割りをします。
② 五角の長い線の1/2を結んで、中に五角の補助線を入れます。
③ 紺で②の補助線と地割り線をかがりながら毘沙門亀甲をかがりますが、角のところでねじりながら紺3段、青4段、水色5段、最後に京てまり糸の白で1段かがります。

黒田　幸子

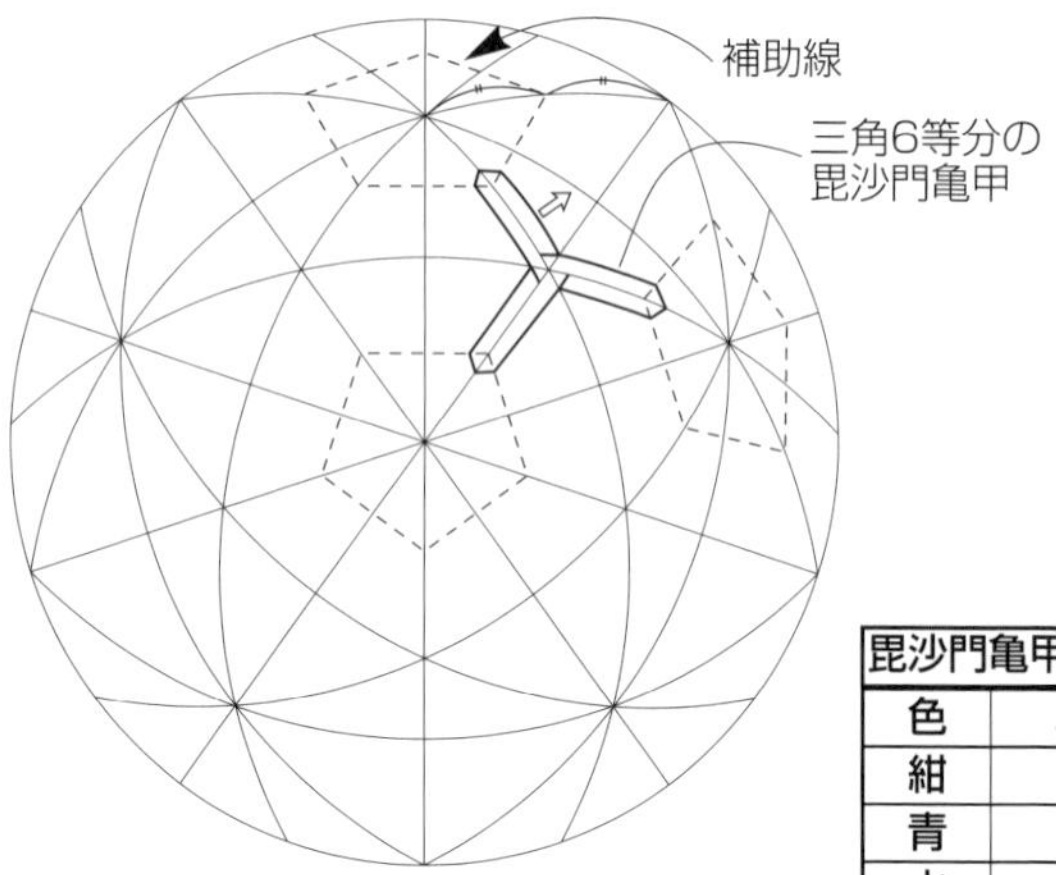

毘沙門亀甲の配色	
色	段数
紺	3
青	4
水	5
白(京てまり糸)	1

紡錘型香箱　8等分の組み合わせ　■中級

口絵23ページ

■材料
土台まり　円周26㎝
地巻き糸　赤地巻き糸
地割り糸　金ラメ糸
かがり糸　京てまり糸1本どり　薄紫　紫　からし　緑　薄オレンジ　オレンジ　薄緑　白　紺

① 金ラメ糸で8等分の組み合わせの地割りをします。
② 三角の中心を結んで、四角を薄緑3段、白1段、紺1段、薄緑1段を角でねじりながら（三つ巴にする）、かがります。
③ 四角の長い線の1/2よりオレンジ、薄オレンジで中心をねじりながら、紡錘型をかがります。
④ 四角の短い線の中心より1/3より白1段四角をかがります。
⑤ ③と④を交互に四角10段、紡錘型11段かがり、最後の段の4か所を金糸で止めます。

黒田　幸子

四角の配色	
色	段数
薄緑	3
白	1
紺	1
薄緑	1

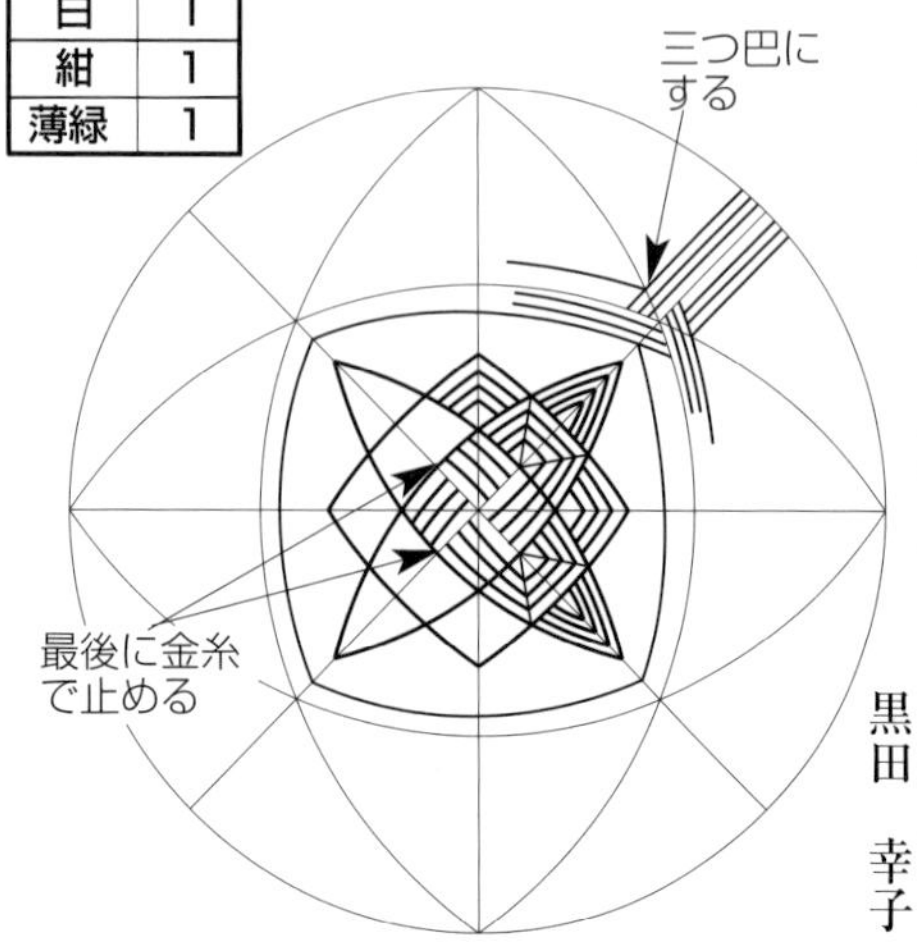

初日の出　8等分

■中級　口絵4ページ

■材料

土台まり　円周28㎝
地巻き糸　白地巻き糸
地割り糸　金ラメ糸
かがり糸　25番刺繍糸3本どり　紺　青　水色
クリーム　黄　オレンジ　朱　薄茶　紫　藤
細金糸　細銀糸

① 金ラメ糸で8等分の地割りをします（赤道あり）。

② 赤道より紺で地割り線を一針ずつ2段かがり、細金糸で1段かがり、3段目からは紺2本、青1本と糸の色を替えながら、渦かがりをします。

③ 南極側は細銀糸を間に入れながら、両極までかがります。

開田　恒美

透かし星　10等分の組み合わせ

■中級　口絵21ページ

■材料

土台まり　円周31.5㎝
地巻き糸　黒地巻き糸
地割り糸　青ラメ糸
かがり糸　京てまり糸1本どり　白　青　青ラメ糸

① 青ラメ糸で10等分の組み合わせの地割りをします。

② 五角10等分を青ラメ糸で20等分にする補助線を入れます。

③ 白で菱の中心を通る線を入れます。

④ ③でできた五角の短い線の1/2より白で五角を5段かがります。

⑤ ④の五角の短い線より星かがりを青で5段かがります。1段おきに白の五角をくぐりながらかがります。

⑥ 三角の中心より三角を白と青を交互に6段ずつかがります。

上田　澪子

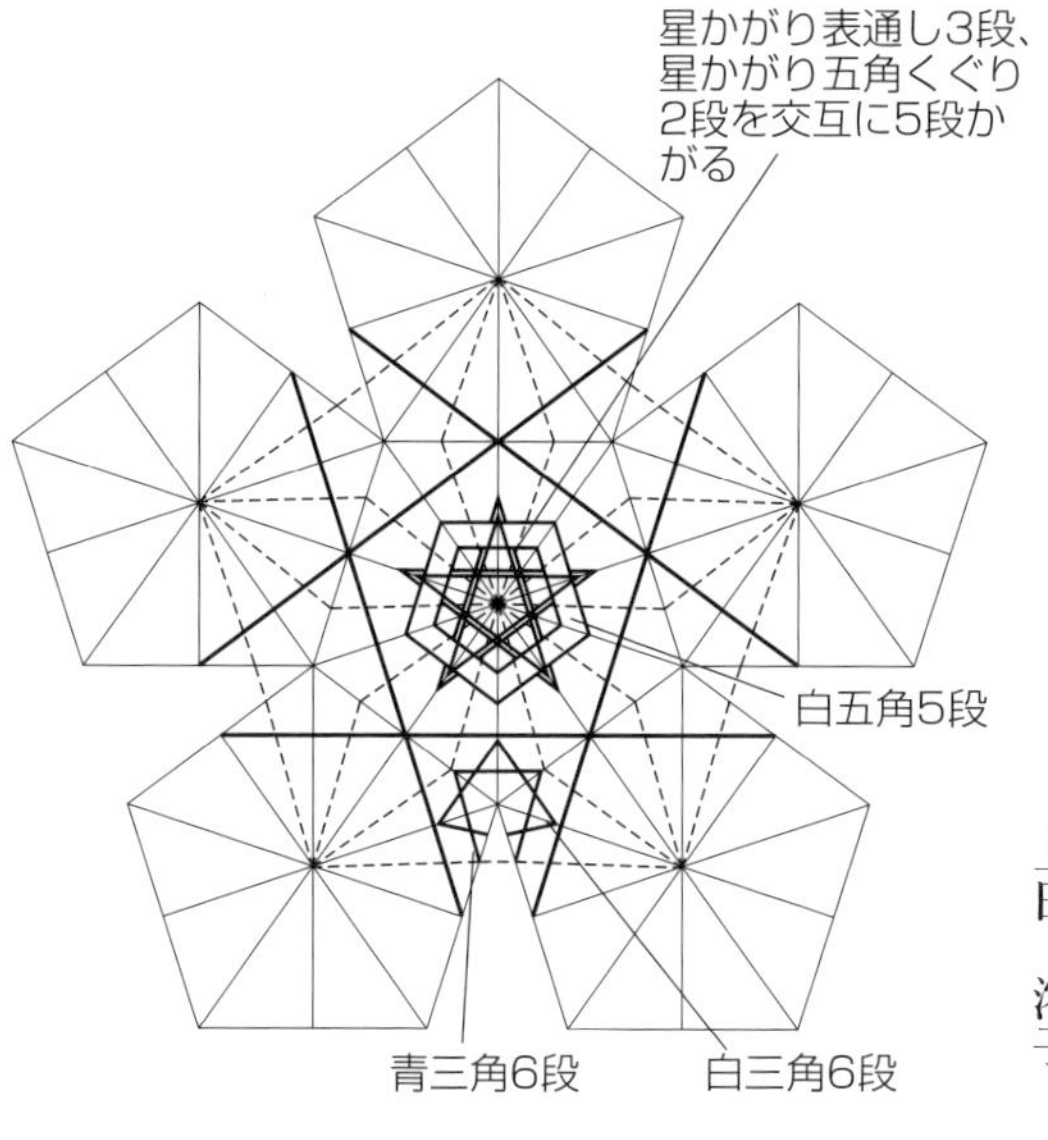

クリスマス　11等分

■中級

口絵10ページ

■材料

土台まり　円周28.5cm
地巻き糸　白地巻き糸
地割り糸　しつけ糸
かがり糸　京てまり糸　赤　緑　金ラメ糸　銀ラメ糸　25番刺繍糸　緑　黄

① しつけ糸で11等分の地割りをします。

② 中心より赤、緑を2本どりで1段ずつかがっていきます。

③ 地割り線を1本ずつ戻しながらかがっていくと、自然と柄がでてきます。

④ 赤糸の所々の間に金ラメ糸と銀ラメ糸を入れます。

⑤ 赤道に25番刺繍糸の緑3本どりでヒイラギの葉をかがり、同じ赤でフレンチナッツステッチの実をかがり、最後にしつけ糸を取ります。

菅家　明子

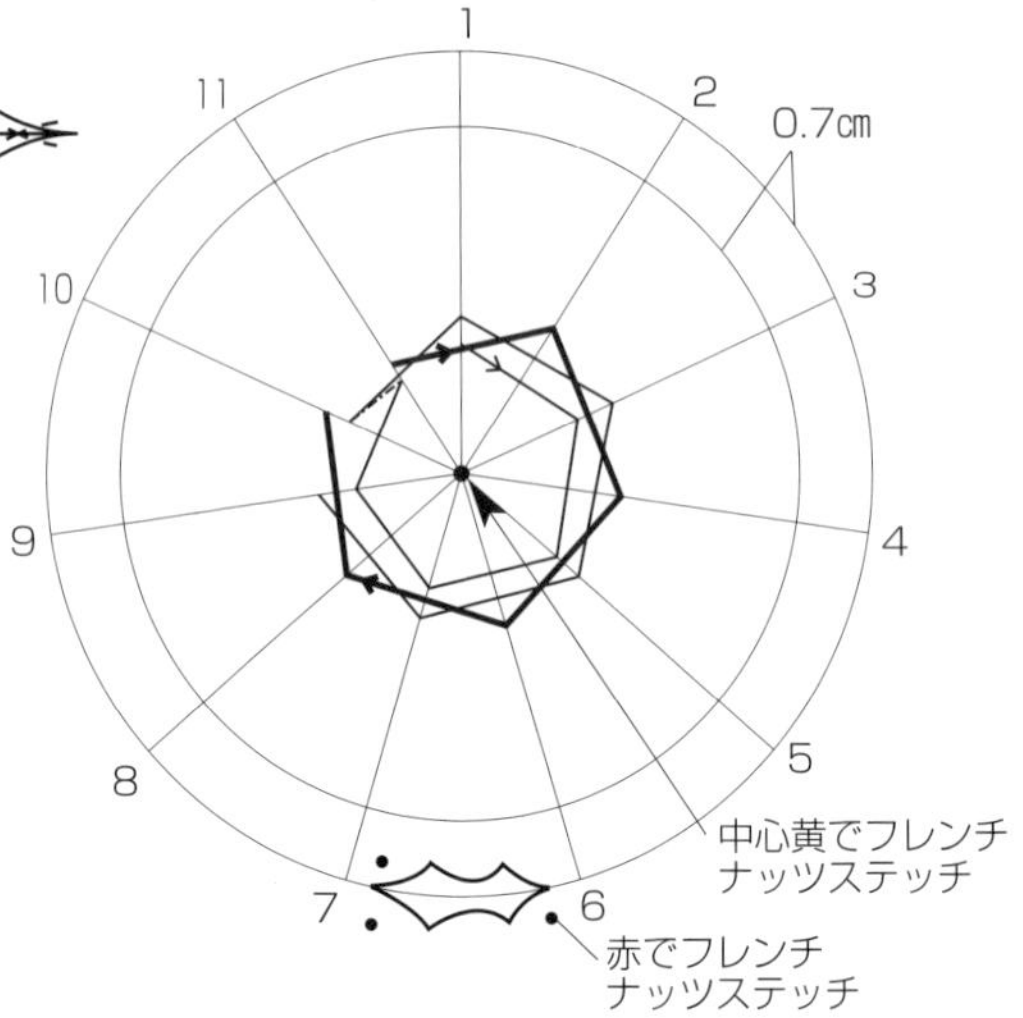

ヒイラギのかがり方

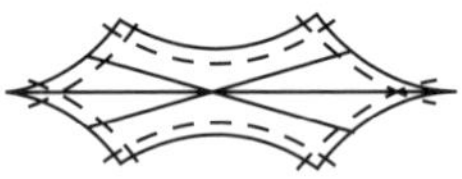

○25番刺繍糸緑3本どりでヒイラギの葉の輪郭を形作ります。2段目は…線のようにかがり、最後に×線のようにかがります。これを赤道上の11か所入れます。

一番星　10等分の組み合わせ

■上級

口絵31ページ

■材料

土台まり　円周38.5cm
地巻き糸　空色地巻き糸
地割り糸　25番刺繍糸青3本どり
かがり糸　25番刺繍糸　青　白　黄　赤　黄緑　ピンク　金ラメ糸

① 青3本どりで10等分の組み合わせの地割りをします。

② 鵜かご地割り(五角10等分の短い線を3等分する)をし、さらに1/2にして12等分にします。

③ 20個の三角の中4か所を同色1本どりでY字かがりで麻の葉をかがります。

④ 五角の中心に金ラメ糸で星形をかがり、各色の境を緑2本どりで三角に区切ります。

谷川　文代

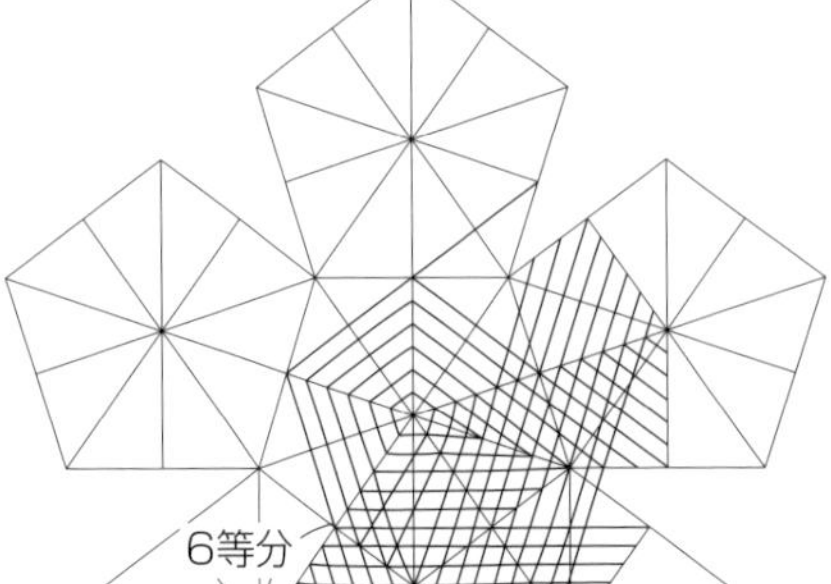

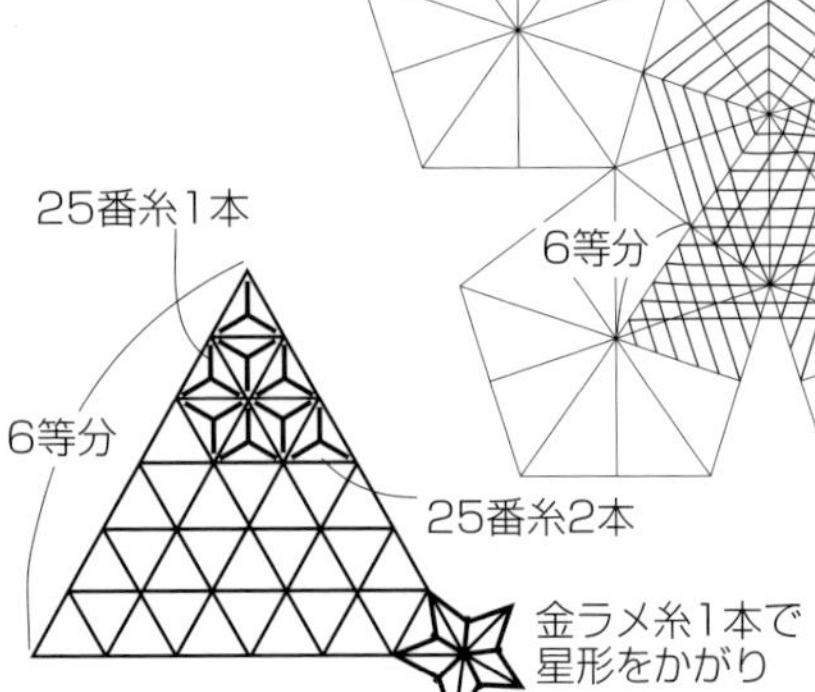

元禄菊

10等分の組み合わせ ■上級

口絵32ページ

■材料

土台まり　円周36.5cm
地巻き糸　黒地巻き糸
地割り糸　赤しつけ糸
かがり糸　京てまり糸1本どり　白　黄　緑
赤　紺　紫　ピンク

① 赤しつけ糸で10等分の組み合わせの地割りをします。
② 五角10等分をしつけ糸で20等分にする補助線を入れます。
③ ②で入れた補助線に1cm幅に黄2段、白2段、黄2段、白2段で地割り線までかがります。
④ 中心より0.3cm下より菊かがりを白2段、黄2段、白2段、黄2段、白2段と③でかがった十角の上にものせます。
⑤ 中心に黄で松葉かがりを入れます。
⑥ ほかの色も同様に、上下同色でかがります。

飯盛　宏子

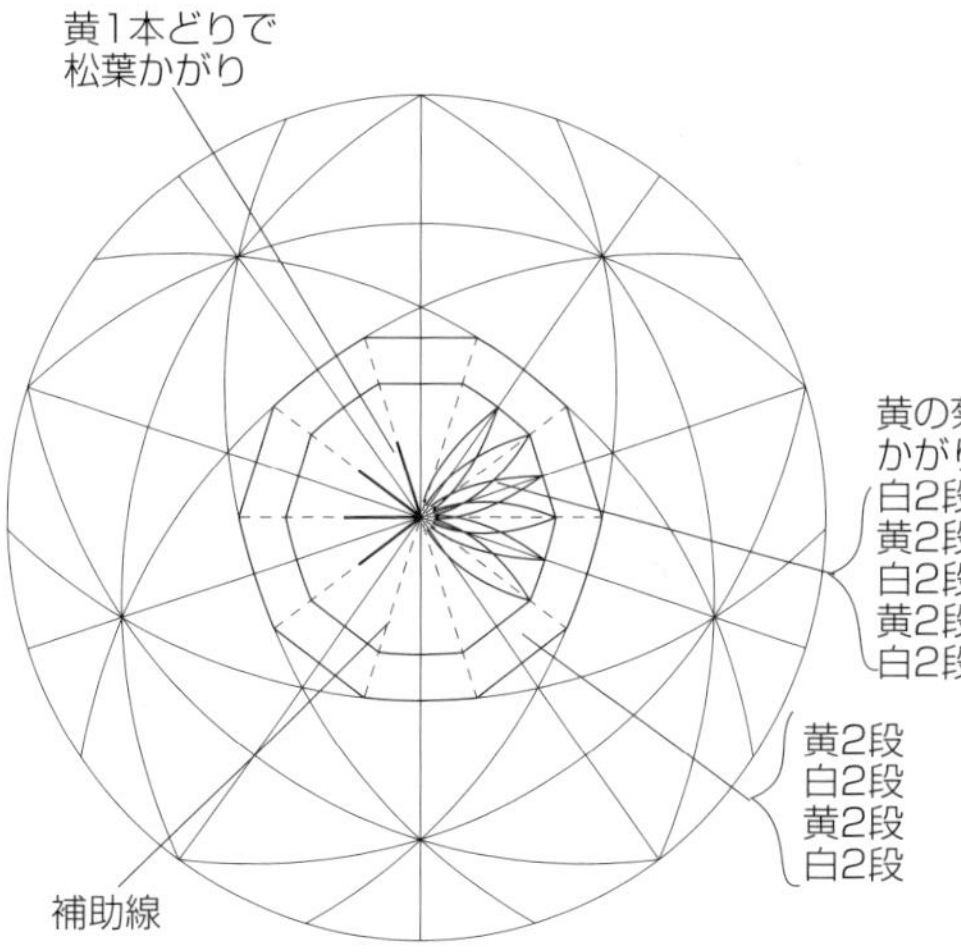

変わり麻の葉

10等分の組み合わせ ■上級

口絵18ページ

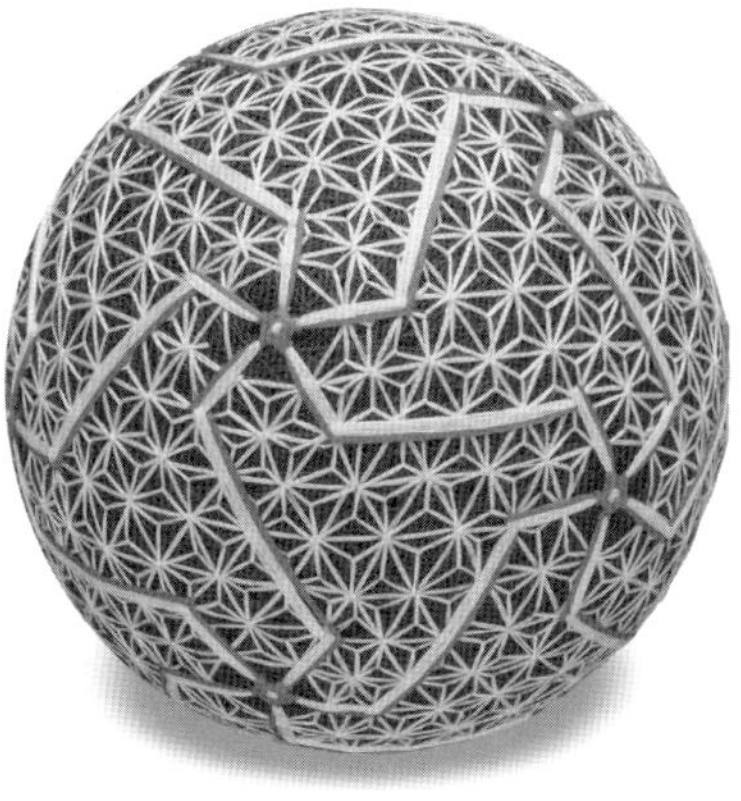

■材料

土台まり　円周38cm
地巻き糸　濃紺地巻き糸
地割り糸　細金ラメ糸
かがり糸　25番刺繍糸　白(2本どり)　赤

① 細金ラメ糸で10等分の組み合わせの地割りをします。
② 白2本どりで五角10等分の短い線を4等分し、五角の中の三角をさらに、16個の三角に分けます(162面体)。
③ 小さい三角の中に白2本どりでY字を入れて麻の葉にします。
④ 五角中心にはY字を入れず、白6本どりで五角の中心3か所を結んで毘沙門を入れ、白に沿わせて赤3本どりで1段かがります。
⑤ 五角の中心に赤3本どりで2回五角をかがります。

石毛　揚子

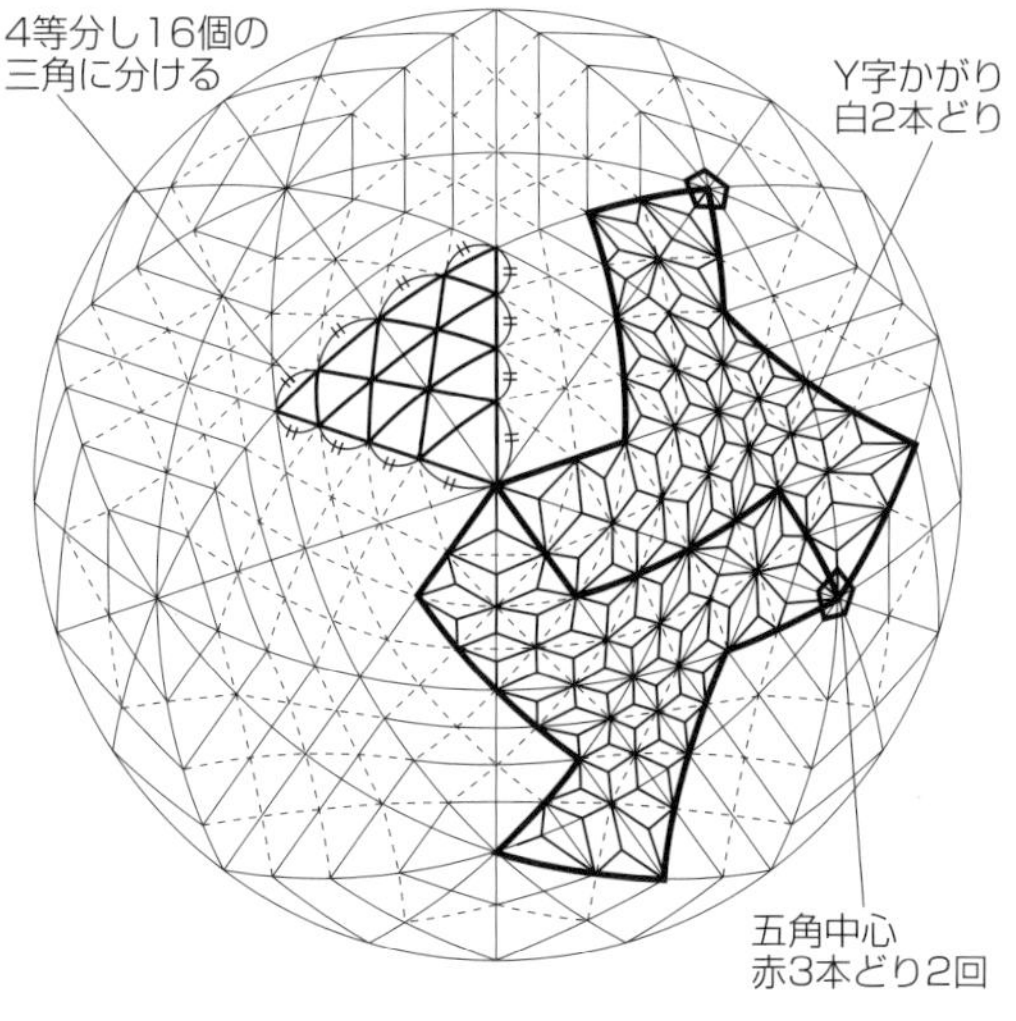

惜秋　10等分の組み合わせ

■上級

口絵24ページ

■材料

土台まり　円周50cm

地巻き糸　グレー地巻き糸

地割り糸　しつけ糸

かがり糸　25番刺繍糸　えんじ　こげ茶　グレー

①　しつけ糸で10等分の組み合わせの地割りをします。

②　五角10等分の短い線を3等分し、122面体にします。（図1）

③　菱の中に三辺は外から内に、一辺は内から外に菱の五角はえんじ2本どり、六角はこげ茶2本どりで各3段かがり、4段目は五角、六角ともグレー2本どりで1段かがります。（図2）

④　六角の中心にえんじ1本どりで松葉かがりをします。

池田明子

図1

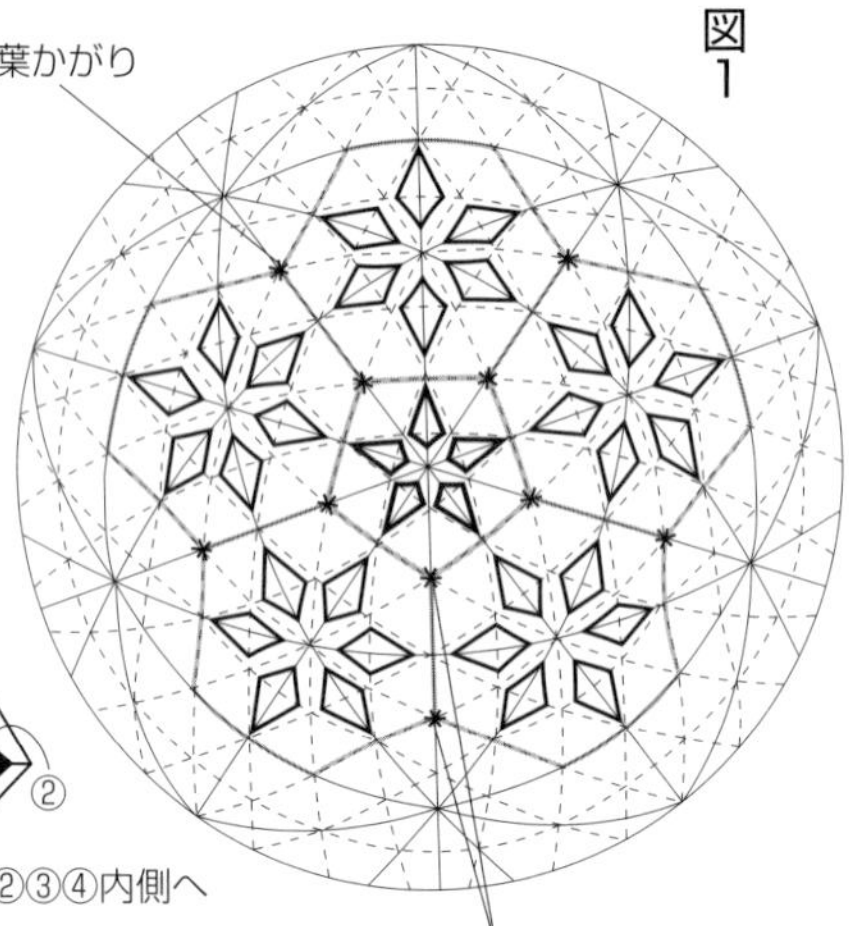

図2

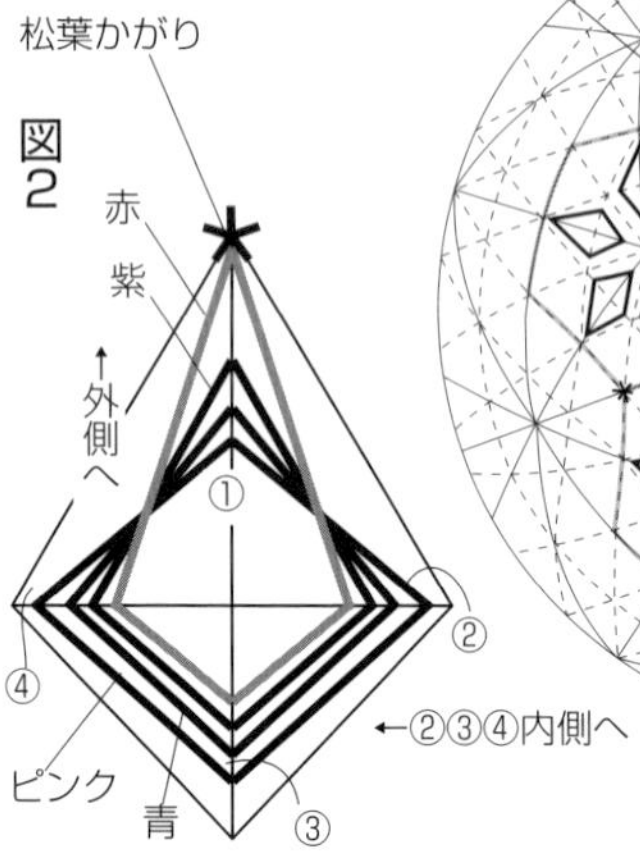

格子菱　8等分の組み合わせ

■上級

口絵19ページ

■材料

土台まり　円周37cm

地巻き糸　黒地巻き糸

地割り糸　しつけ糸

かがり糸　京てまり糸1本どり　赤　緑　白　モス緑　青　黄　紫

①　しつけ糸で8等分の組み合わせの地割りをします。

②　ねじりの地割りを使い、三角6等分の中心より1.5cmずらして六角を6個作り、六角の中を菱3個に分け、上下を同色で各色6段ずつ、組ながらかがり、外側を白6段で囲み、境を緑1段で区切り、六角の外を緑2段でかがります。

黒田　幸子

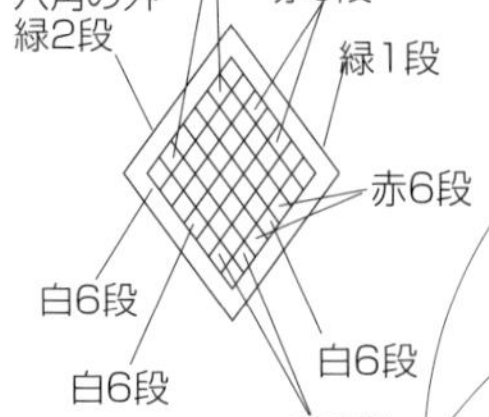

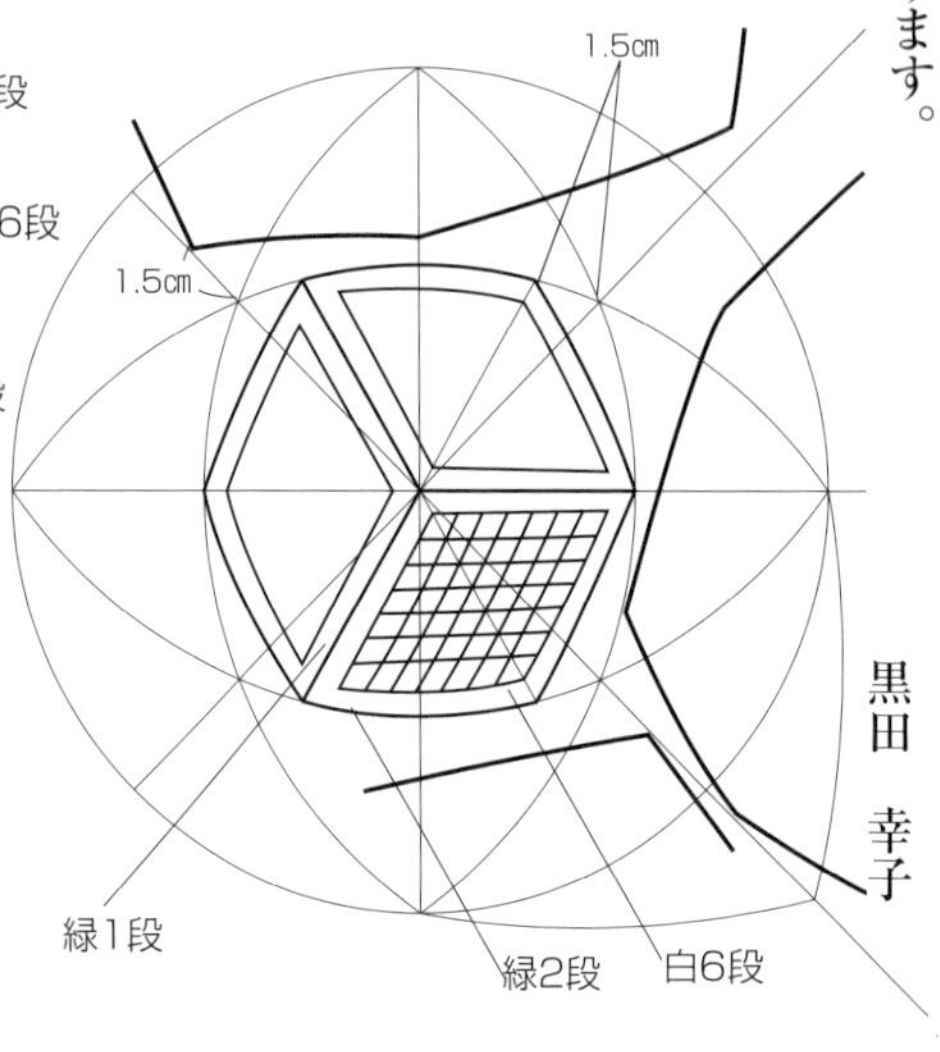

グリーンアイス　10等分の組み合わせ　■上級

口絵11ページ

■材料

土台まり　円周31㎝
地巻き糸　白地巻き糸
地割り糸　細金ラメ糸
かがり糸　草木染風木綿糸　白　黄　緑　濃緑

① 細金ラメ糸で10等分の組み合わせの地割りをします。
② 五角10等分の短い線を3等分して五角12個、六角20個にします。
③ 元の五角の長い線の中心から0.5㎝の幅で三角6等分を組みながら大きな三角を白4段、グリーン2段、黄2段で五角、六角の中心を組みながらかがります。
④ ③でできた五角に白で星かがりを8段組みながら12か所、六角には三角を2個ねじりながら重ねて20か所かがります。
⑤ 五角、六角の外側を緑4段、濃緑1段、緑4段を五角、六角をねじりながらかがります。

安馬万喜子

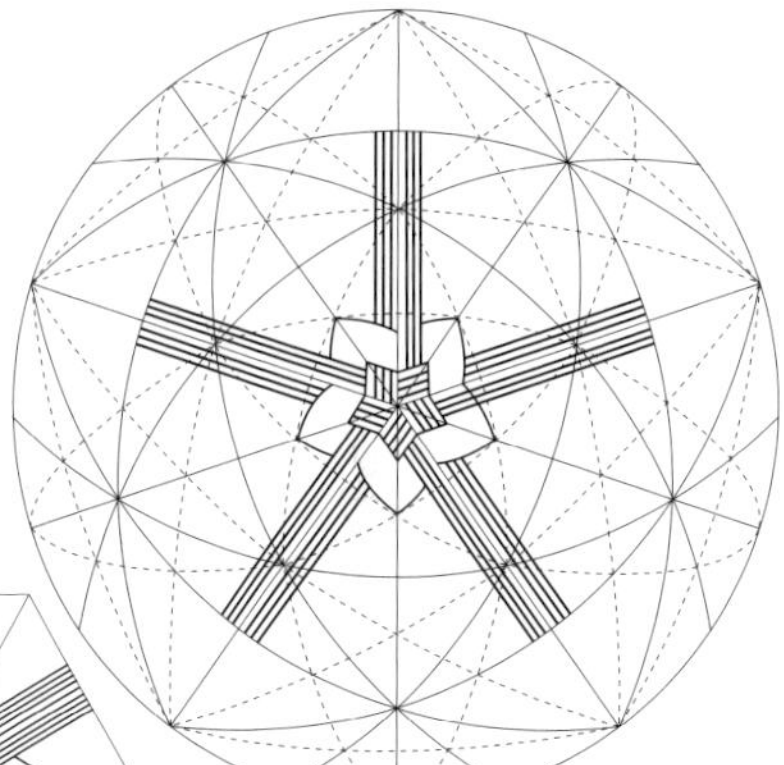

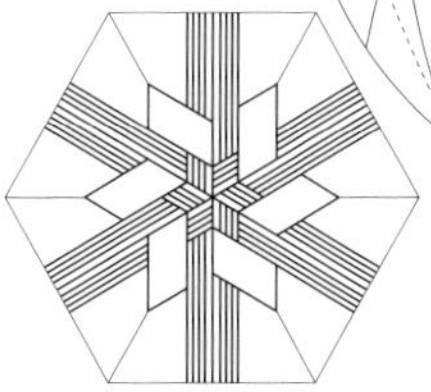

椿と柊　10等分の組み合わせ　■上級

口絵13ページ

■材料

土台まり　円周37㎝
地巻き糸　黒地巻き糸
地割り糸　金ラメ糸
かがり糸　京てまり糸　白　黒　黄　薄緑　緑　濃ピンク　金ラメ糸

① 金ラメ糸で10等分の組み合わせの地割りをします。
② 五角10等分の中心より短い線を黄8段、白2段の五角をかがります。
③ 五角10等分の長い線の1/2より星かがりを濃ピンクで12段上、下と交互にかがり、最後に金ラメ糸で1段かがります。
④ 中心の五角の外に黒1本で一方をくぐらせ、一方をのせた星をかがります。
⑤ 隣り合わせの花びらの間にできた菱形に長い線の1/2より四角の補助線を入れます。
⑥ 五角10等分の短い線より、④の補助線をかがりながら毘沙門亀甲を緑3段、薄緑4段で上、下と交互にかがります。
⑦ 隣り合わせの毘沙門亀甲の先もねじってかがります。

佐藤しづえ

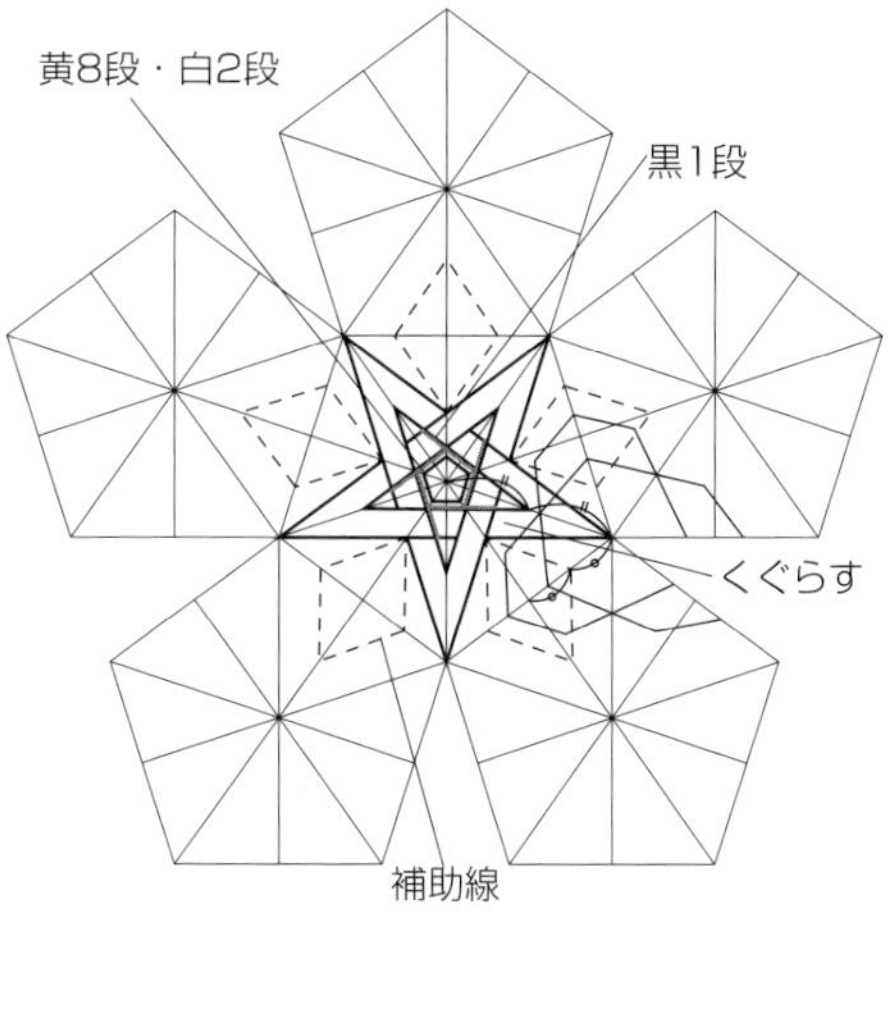

【剣六角　6等分】

口絵22ページ

■材料
土台まり　円周23.5cm
地巻き糸　黒地巻き糸
地割り糸　金ラメ糸
かがり糸　5番刺繍糸
1本どり　赤　薄緑
緑　金ラメ糸

6等分に地割りをし、地割り線の両極より1/4を結んで、赤で1段六角をかがり、両極の六角の角を結んで紡錘型を1段かがります。六角と紡錘型を交互に赤2段、薄緑2段、赤2段、緑2段かがります。金ラメ糸で両極の紡錘型の間に松葉をかがります。

佐藤しづえ

【ぼかし菊　16等分】

口絵32ページ

■材料
土台まり　円周31cm
地巻き糸　空地巻き糸
地割り糸　金ラメ糸
かがり糸　5番刺繍糸
1本どり　ピンク濃淡
3色　空色　白

極から0.5cm下より、極と赤道の1/2を結びながら濃ピンクで2段菊かがりをします。3段目より1本おきに筋立て上掛けかがりを濃ピンク2段、ピンク3段、薄ピンク4段、白5段、赤道より0.5cm上までかがり、赤道に濃ピンクと空色を1段ずつ交互に13段巻き、濃ピンクで千鳥かがりで止めます。

飯盛　宏子

【出産祝い　8等分】

口絵9ページ

■材料
土台まり　円周25cm
地巻き糸　白地巻き糸
地割り糸　しつけ糸
かがり糸　25番刺繍糸
赤　白　金ラメ糸

8等分の地割りをし、北極より南極を通り、地割り線の間を赤、白で交互に巻きかがりをして、しつけ糸で巻きかがりの上に10等分の組み合わせをします。菱の中心を金ラメ糸で結んで五角と三角にします。五角の中も金ラメ糸で三角5個にし、三角の中にY字かがりを入れて、麻の葉模様にします。

佐藤しづえ

【ねじり四角　8等分の組み合わせ】

口絵21ページ

■材料
土台まり　円周25cm
地巻き糸　白地巻き糸
地割り糸　金ラメ糸
かがり糸　5番刺繍糸
1本どり　薄黄　薄緑
緑　金ラメ糸

金ラメ糸で地割りをし、四角8等分の間をとって緑1段、薄緑1段、薄黄1段、薄緑1段、緑1段で四角をかがり、角をねじりながら、同じ段数で6個かがります。

三角6等分の中心をねじりながら、大きな三角を四角と同じ色で、四角の中心も四つ巴にしながら4個かがります。

【重ね菊　10等分の組み合わせ】

口絵8ページ

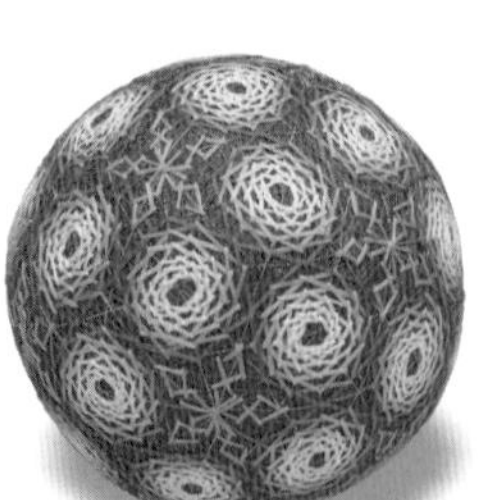

■材料
土台まり　円周37cm
地巻き糸　紫地巻き糸
地割り糸　細紫ラメ糸
かがり糸　25番刺繍糸
3本どり　白　薄藤
藤　濃藤　薄紫　紫
緑

細紫ラメ糸で五角の長い線の1/2を結び、小さい五角12個と六角18個作ります。五角の中に緑で連続で菱をつないだ葉をかがります。六角は外から中に地割り線を縦にすくいながら、紫1段、薄紫1段、濃藤1段、藤1段、薄藤1段、白5段かがります。

【七五三　16等分】

口絵9ページ

■材料
土台まり　円周26cm
地巻き糸　白地巻き糸
地割り糸　金ラメ糸
かがり糸　京てまり糸
赤　薄黄　白　金ラメ
糸　赤布(直径3cm)
紅白の鹿の子絞り布
(5cm幅)

両極に直径3cmの赤布を貼り、周りをしつけ糸で止めます。赤道に5cm幅の鹿の子絞り布を貼り、継ぎ目を細かくかがっておきます。

16等分の地割りをし、両極より0.8cm下より白2本どりで赤道より1/4を通って菊かがりをします。白2段、金ラメ糸1段、薄黄1段、赤4段、金ラメ糸1段で赤道までかがります。

木村輝久代

【花の銀河　10等分の組み合わせ】

口絵18ページ

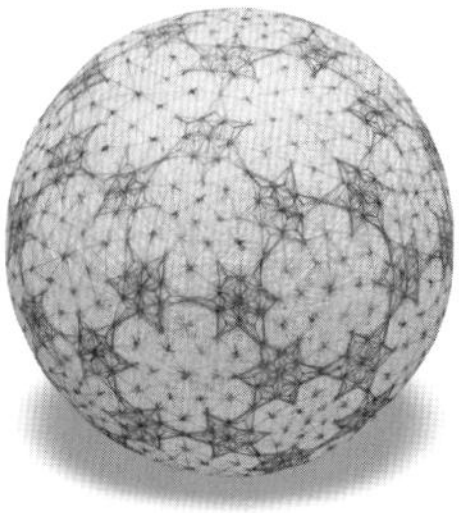

■材料
- **土台まり**　円周51cm
- **地巻き糸**　白地巻き糸
- **地割り糸**　細銀ラメ糸
- **かがり糸**　25番刺繍糸　青　細銀ラメ糸　オーロラ糸

白地巻き糸の上にオーロラ糸を少し巻きます。細銀ラメ糸で10等分の組み合わせをし、さらに92面体にします。五角の周りの六角60か所に青1本どりで三角を重ねて、小さな三角にY字かがりをして六角星をかがります。地割りの交差点は青で止めます。

冨田　達

【沈丁花　12等分】

口絵24ページ

■材料
- **土台まり**　円周25cm
- **地巻き糸**　黒地巻き糸
- **地割り糸**　細金ラメ糸
- **かがり糸**　5番刺繍糸　ピンク　濃ピンク　細金ラメ糸

地割り線1本おきに両極を5等分し、1/5を1本おきに結んで両極に六角を作ります。赤道の上2/5と赤道の下3/5を交互に結び、赤道上に菱を6か所作ります。両極と赤道の間にできた五角を銀ラメ糸で五等分の補助線を入れ、両極に六角、連続五角、小六角を各ピンク3段、濃ピンク1段を交互にかがります。

【二面渦バラ　20等分】

口絵11ページ

■材料
- **土台まり**　円周25cm
- **地巻き糸**　白地巻き糸
- **地割り糸**　細金ラメ糸
- **かがり糸**　京てまり糸　茶　緑　黄緑　濃ピンク　黄色

細金ラメ糸で20等分し、極と赤道の1/2に五角の補助線を入れます。中心に黄色2本どりで左へ3で五角を2段、濃ピンクを2本どりで左へ3段を5回、4段を3回、5段を3回進むと渦ができます。渦かがりの外を緑2本どりで4段、黄緑1段、緑2段で五角をかがります。赤道に茶を巻き、緑と黄緑で上下かがりをします。

海宝ひとみ

【交差遊び　10等分の組み合わせ】

口絵24ページ

■材料
- **土台まり**　円周37cm
- **地巻き糸**　オレンジ地巻き糸
- **地割り糸**　25番刺繍糸　朱赤1本どり
- **かがり糸**　京てまり糸　紺

地割りをして32面体にします。五角に星かがり、六角には三角を重ねて補助線を入れます。紺1本どりで補助線をとり台形を全体に180か所かがります。五角は台形と台形の上に菱形を60か所かがります。六角の中心には変形五角を120か所かがります。五角と六角の中心に紺1本どりで短い松葉かがりをします。

海宝ひとみ

【変わり三つ羽根　10等分の組み合わせ】

口絵20ページ

■材料
- **土台まり**　円周35cm
- **地巻き糸**　水地巻き糸
- **地割り糸**　細金ラメ糸
- **かがり糸**　5番刺繍糸　白　水色　淡紺　紺　濃紺

細金ラメ糸で地割りをし、さらに細金ラメ糸で三角6等分をずらした三角にし、12等分になるように補助線を入れます。外側は三角の長い線、中は補助線をすくって外、中、外、中と三つ羽根亀甲の要領で濃紺1段、紺1段、淡紺1段、水色1段、白2段でかがります。

清水　芳子

【千羽鶴　10等分の組み合わせ】

口絵3ページ

■材料
- **土台まり**　円周33cm
- **地巻き糸**　紺地巻き糸
- **地割り糸**　しつけ糸
- **かがり糸**　草木染風木綿糸　生成　黒　赤　茶　薄茶　緑　濃緑

しつけ糸で10等分の組み合わせの地割りをし、三角6等分の3個の菱に三羽の鶴を4か所に生成でかがります。残りの4か所に三つ羽根の中心をねじりながら、薄茶2段、茶3段、薄茶1段かがり、間に濃緑で松葉を13本入れ、間に緑で短い松葉を3本ずつかがります。

増田あや子

著者紹介

尾《お》崎《ざき》敬《とし》子《こ》

◎実母尾崎千代子よりてまり・マクラメ編みの指導を受け、現在、てまり文庫、お茶の水教室、よみうり日本テレビ文化センター、東船橋西武にて指導

◎毎年、諸外国にて展示・指導

◎日本てまりの会会長

◎（財）日本手工芸指導協会理事

◎水心会主宰

◎著書「私の手まり入門」「江戸てまり」「楽しいてまり遊び」マコー社刊

日本てまりの会本部/〒158-0095　東京都世田谷区瀬田1-5-12

◆制作協力者

会田　康子　安馬万喜子　飯盛　宏子　池田　明子　石毛　揚子　上田　澪子　上原　鶴江　小川婦美子
開田　恒美　海宝ひとみ　菅家　明子　木村輝久代　黒田　幸子　小出　孝子　小出つや子　斉藤　紀子
酒井千穂子　佐藤しづえ　澤田　クニ　重松　あや　清水　芳子　東海林美智子　菅沼スミヱ　鈴木あや子
鈴木　洋子　高原　曄子　滝本　宏子　竹内マツ子　武久　憲明　谷川　文代　谷　キヨ子　田村小夜子
冨田　　達　新妻　栄子　萩原　洋子　橋崎美智子　原田美保子　東出　澄子　前田　範子　増田あや子
松下由美子　松下　良子　宮原　浩子　山野井鈴美
アンヌ ウイマー　バーバラ スージー　デボラ イー アボル　ハスレーン エイ ヘイウイット
キャサリン ヘウイ　マリーポール　シャルレイ ステハーソン

手作りを楽しむ
彩りのてまり歳時記

著　者　尾《お》崎《ざき》敬《とし》子《こ》　　ⓒ2010　Toshiko Ozaki
発行者　田波清治
発行所　株式会社　マコー社
〒113-0033　東京都文京区本郷4−13−7
TEL　東京（03）3813−8331
FAX　東京（03）3813−8333
郵便振替／00190−9−78826

macaw

平成22年6月30日初版発行

印刷所　大日本印刷株式会社

定価はカバーに表示してあります。落丁・乱丁その他不良の品は弊社でお取替えいたします。ISBN978-4-8377-0110-1